CONNAISSANCE DE L'ORIENT

D1268948

Yan Xie

*Conformément aux règlements
de la collection « Connaissance de l'Orient »,
cette traduction a été relue par Etiemble.*

# Les Entretiens de Confucius

TRADUCTION DU CHINOIS,
INTRODUCTION,
NOTES ET INDEX
PAR PIERRE RYCKMANS
PRÉFACE D'ETIEMBLE

GALLIMARD

.

# PRÉFACE

## Le trop célèbre auteur du *Lun yu*

### Du mythe...

*De l'homme, on ne sait presque rien : des dates (551-479 avant notre comput); des anecdotes fabuleuses (cette licorne, avant la naissance du Maître, qui vomit un livre orné de pierres précieuses; cette autre licorne, qui lui présage sa mort, etc.); un nom lui-même qui prête aux gloses abigotantes (n'y trouve-t-on pas le caractère « hirondelle »?? Or le fondateur de la dynastie des Shang [Chang] ou Yin, à laquelle remonterait notre homme, naquit de Jiandi [Kien-ti], laquelle fut agréablement fécondée par un œuf d'hirondelle qu'en jouant elle déglutit). Quant au nom personnel du philosophe, Qiu [K'ieou], Marcel Granet prouva qu'il est en rapport, ainsi que faire se doit, avec la nature de celui qui le porte : ce mot veut dire « tertre »; or Confucius avait le crâne relevé sur les bords et creux au centre, anomalie qui s'éclaire très bien si l'on se rappelle que sa mère, après avoir conclu avec un vieillard un mariage « disproportionné » -- selon la traduction d'Alexis Rygaloff — s'en fut prier sur le tertre Ni qiu [Ni k'ieou]. Or ni signifie « tertre à sommet renversé, qui recueille les eaux ».*

*D'autres « preuves par l'étymologie » sont ainsi laïcisées dans les travaux de Granet. De sorte que, si Voltaire n'a point tort de célébrer en son idole un homme qui ne se donnait nullement pour un prophète, la sociologie contemporaine a raison de découvrir en lui un système d'allusions à toutes sortes de mythes. Les dates de sa vie elles-mêmes nous deviennent suspectes. Si Confucius naquit en 551, s'il avait cinquante ans lors de l'entrevue de Jiagu [Kia-*

*kou] au cours de laquelle il transforma un traquenard en véritable paix, s'il mourut à soixante-douze ans, ne serait-ce point parce qu'il fallait qu'un si grand homme naquît cinq cents ans tout juste après le duc de Zhou [Tcheou], autre grand sage; parce que cinquante ans, c'est en Chine l'âge de la plénitude, de la perfection, et que soixante-douze, dans le système classificatoire et protocolaire de la numération chinoise, constitue un repère d'importance capitale. Si donc Maître Kong naquit en 551, c'est peut-être parce que l'entrevue en question eut lieu en 500, à moins que l'entrevue n'ait eu lieu en 500 que parce que Confucius était né en 551. Ainsi du reste. Henri Maspero estime qu'on ne peut dater au juste ce philosophe, dont le nom et la vie officielle sont décidément trop chargés de fables. Quand on ne pousserait pas l'évhémérisme aussi loin que nos meilleurs sinologues, comment admettre avec la légende que Laozi [Laotseu], l'auteur présumé du* Dao de jing [Tao-tö king]*, ait ridiculisé le jeune Confucius? Cet ouvrage composite est bien postérieur à l'œuvre de celui-ci.*

## ... à l'œuvre

*L'œuvre? De même que nous devons renoncer à prendre pour documents d'histoire la biographie que nous transmet Sima Qian [Sseu-ma Ts'ien], il nous faut consentir à ne plus attribuer au Maître tout ce qui compte avant lui dans les lettres chinoises. Ni le* Canon des poèmes, *qu'il est censé avoir classé, ni le* Canon des documents, *qu'il aurait compilé, ni le* Canon des mutations, *dont on lui attribue les « dix ailes » ou appendices, ne sont de lui; non plus que* Les Printemps et les Automnes, *cette chronique du pays de Lu [Lou] dont il serait originaire.*

*Pour parler de son œuvre avec prudence et probité, il faut donc se borner à examiner le* Lun yu [Louen yu], *les* Entretiens familiers : *anecdotes, maximes, brèves paraboles et propos familiers, en effet, arbitrairement répartis en vingt sections, et le plus souvent mal situés historiquement; oui, des anas, sans plus : recueillis par des disciples, ou des disciples de disciples.*

## Sous un empire décadent

*En ce temps-là, l'empire chinois des Zhou agonisait : des principautés rivales s'entre-déchiraient ; durant cette décadence politique à quoi mit fin en 256 (avant notre comput) le fondateur de l'empire centralisé mais totalitaire Qin Shi Huangdi [Ts'in Che Houang-ti], une société féodale se survivait plutôt mal que bien. Libres, affiliés à un clan, les nobles s'adonnaient au tir à l'arc, à la guerre, célébraient des sacrifices minutieux et fréquents, raffinaient sur le luxe ; à côté de cette aristocratie vivotaient certaines familles pourvues d'émoluments héréditaires, nobles peu fortunés dont sortirent, si l'on en croit Maspero et Creel, presque tous les scribes de cette période, y compris Confucius. Le reste de la société — plébéiens illettrés, artisans, marchands, esclaves — était universellement méprisé. De la femme, on ne se souciait guère : encore qu'elle contribuât aux sacrifices domestiques, elle « ne doit point se mêler des affaires publiques »* (Canon des poèmes). *« Malheur à qui épouse une femme audacieuse et forte ! »* (Canon des mutations).

*Tel était le milieu dont sortait et sur lequel voulut agir, si jamais il vécut, celui que les Chinois appelaient Maître Kong, ou Kongfuzi [K'ong-fou-tseu], nom que les Jésuites latinisèrent en Confucius.*

*Contrairement à certaines allégations d'un marxisme simplet, ces lettrés issus de la noblesse pauvre n'étaient nullement des valets de la haute aristocratie : très souvent, nous les voyons qui contredisent un noble, contrecarrent l'action d'un prince, adressent des remontrances, se déclarent prêts à mourir pour exercer le privilège de rappeler aux puissants qu'ils se doivent de gouverner dans l'intérêt des petits sires, des* xiao ren *[siao jen]. Au reste, la diversité des philosophies alors combattantes nous garantit la liberté d'esprit de beaucoup de ces prétendus serviteurs de l'aristocratie. La solution que propose Confucius n'est en effet ni la seule, ni, convenons-en, la plus efficace.*

*Par dégoût d'un monde atroce, ceux qu'on appellera les taoïstes refuseront toute intervention de l'homme dans le cours naturel des* choses; d'autres, avec Mozi [Mo-tseu], organiseront une façon de féroce république platonicienne, aussi pacifiste que militarisée, hostile elle aussi aux arts, à la poésie, et qui oppose aux valeurs féodales un amour mutuel sans charité; ceux qui finiront par l'emporter — les réalistes, légalistes ou légistes — se réclament d'un empirisme organisateur, remplacent les liens personnels par une bureaucratie centralisée, fondent l'État sur la notion de loi qu'appuient rudement, à l'intérieur une police méticuleuse, à l'extérieur une armée bien entraînée.

Parce qu'il voulait résoudre par la seule morale toutes les difficultés d'un monde finissant, Confucius, il faut l'avouer, échoua politiquement : c'est en vain qu'on veut nous persuader qu'il lui suffit d'exercer en 496 la charge de Premier ministre et de faire exécuter un prédécesseur incapable pour qu'aussitôt les bouchers vendent la viande au juste prix. Nous ne sommes pas dupes de cette fable. Mais quoi! en un siècle d'anarchie, de félonie, de cruautés, il offrit aux hommes des recettes de bien public, une politique fondée sur la morale. Ce n'est pas rien.

## Une doctrine ouverte

Dissipons à ce propos une légende. Sur la foi d'une belle image qui présente l'enfant Confucius plein de zèle pour ranger des vases rituels, on condamne parfois en lui un maniaque de l'étiquette. Quelle erreur! Soit qu'il rendît visite à une princesse de mauvaise vie, soit qu'il pleurât ses amis plus longuement que ne le prescrivaient les rites, il montra, par son exemple, que la droiture du cœur et de l'esprit l'emporte sur les simagrées, et même sur l'étiquette : « Trop de manières ennuie »; ou bien : « Plus de vertus naïves que de manières, tu es un rustre; plus de manières que de vertus naïves, tu es un cuistre; autant de manières que de vertus, voilà l'homme de qualité. »

## La morale du junzi

Mais la vertu, la correction morale dépendent strictement de la qualité, de l'ordre du langage. Quand tout va mal dans une principauté, quand les mœurs y sont corrompues, les princes indignes de leur fonction, et que par conséquent le peuple ne sait plus où situer le bien et le mal, un seul remède : « Rendre correctes les dénominations. » Une fois définis les concepts, l'homme de qualité veille toujours à y conformer ses paroles et ses actes. Si le père agit en père, le fils en fils, tout va bien; si le fils échange sa dénomination avec celle du père, s'il se comporte en père, comme avec sa mère le fils de la princesse Nanzi [Nan-tseu], c'est l'inceste : le désordre, le crime.

La réforme langagière garantit donc la cohésion du groupe humain : en se conformant au concept de prince, le prince gouvernera dans l'intérêt de tous, et sera le plus efficace. Du point de vue machiavélien, Confucius est probablement dans l'erreur : Saint Louis perd sa croisade, mais Louis XI accroît la France. Du point de vue de la morale personnelle, assurément il a raison : point de junzi [kiun-tseu] qui ne se conforme aux « dénominations correctes ».

Qu'est-ce au juste que ce junzi, ce modèle humain proposé par Confucius, cet équivalent chinois du καλός κἀγαθός des Grecs, ou du cortigiano ? Les Anglais le traduisent souvent par gentleman. Pour Granet, c'est « le Sage ». J'incline à préférer « homme de qualité », qui marque mieux la révolution politico-morale proposée par Maître Kong. Avant lui, on était junzi par droit de naissance; avec et après lui, « la naissance n'est rien où la vertu n'est pas ». Bien qu'il prétende avant tout « s'attacher aux anciens avec confiance et affection », il s'efforça de préparer un avenir où les qualités du cœur et de l'esprit l'emporteraient sur la naissance. Fidélité aux principes de notre nature : zhong [tchong], et application bienveillante à autrui de ces principes : shu [chou], voilà quelques-unes des vertus dont l'heureuse conjonction compose la vertu suprême, celle de ren [jen], terme si malaisé à définir que Confucius doit recourir au « je ne sais quoi ». J'y discerne l'essentiel de cette « générosité » que proposera chez nous Charles Sorel dans le Francion, que Descartes définira plus explicitement et dont, tel que nous le présentent ses Entretiens familiers, le Maître nous offre un modèle.

Nul système en lui; nulle orthodoxie, en dépit du fameux texte (II, 16) que le P. Couvreur traduisit à dessein fort mal : « Le

*Maître dit : étudier des doctrines différentes (des enseignements des anciens sages), c'est nuisible » ; texte qui veut dire tout autre chose : « S'appliquer aux doctrines extravagantes, voilà qui fait du mal. » Interprétation que confirme plus d'un autre ana, celui en particulier où l'on rapporte qu'il ne parlait jamais des prodiges, des esprits, de la mort. Au reste : « Toi qui ne sais rien de la vie, que saurais-tu de la mort ? »*

*Morale qui fait confiance, un peu trop sans doute, à la nature humaine ; point de village de dix feux où l'on ne puisse trouver, c'est du moins sa conviction, un homme au cœur généreux. Ce qui manque aux humains, c'est de connaître les vertus vraies et de s'y appliquer humblement, inlassablement. Tel en effet ne naît pas vertueux qui, par une étude appropriée, par un constant effort sur soi, peut acquérir toutes celles des qualités humaines qui ne sont pas incompatibles avec son tempérament. Trois de ces vertus font de vous un bon père de famille ; six, un prince acceptable ; neuf, un grand roi.*

*Cette morale, du moins, n'est pas déduite d'une foi, d'une métaphysique, ou descendue d'un Sinaï.*

## L'agnosticisme

*On a disputé, on dispute encore, sur l'agnosticisme ou non de Confucius. Max Weber le considérait comme un rationaliste qui, dégagé de toute métaphysique, de toute tradition religieuse, a construit une morale fondée sur la nature de l'homme et les besoins de la société. Morale que nos contemporains, épris de mystère, de vague à l'âme, considèrent souvent comme un peu courte. C'est pourquoi sans doute H. G. Creel essaya de contester l'agnosticisme du philosophe. Tout dépend d'un texte qu'on traduit d'ordinaire : « le sage respecte les esprits et garde à leur égard les distances requises » (tant par les rites que par l'horreur sacrée). Convenons que tel qui extrait l'idée de bien de l'expérience que filtre la raison peut sauver en soi un coin secret pour les sentiments ou les pratiques religieuses. À tel de ses disciples qui protestait contre le sacrifice d'un mouton, nous savons qu'un jour Confucius répliqua : « Vous aimez les moutons, et moi la cérémonie. » Apparemment convaincu que nulle société ne peut subsister sans des fêtes il ne voyait aucune raison d'éliminer celles des traditions religieuses qui ne blessaient point sa morale positive. Toujours est il que lorsque, le voyant sur le point de mourir, ses disciples lui proposèrent de célébrer des sacrifices, il répondit altièrement : « Il y a beau temps que ma prière est faite. » Quant aux principales notions métaphysiques dont il daigne parler – le* tian [t'ien], *le* dao [tao], *le* ming *–, voici sa position : le* tian, *le ciel, garde chez lui le sens cosmique et lyrique à la fois qu'il a souvent dans les textes chinois; le décret du ciel, le* ming, *tantôt ce serait notre destin biologique, tantôt notre* fatum, *tantôt le hasard ou l'accident · le* dao, *lui, coïncide avec l'ordre du monde, qui est ordre en mouvement : « Le Maître, qui se trouvait au bord d'une rivière déclara :* tout passe comme cette eau; rien ne s'arrête, ni jour ni nuit. *» Sur quoi, un glossateur officiel : « L'homme de qualité imite ce mouvement. »*

## Maître et disciples

*Que Kongzi ait formé trois mille disciples, c'est douteux. Qu il en ait conduit soixante-douze jusqu'à la perfection de la vertu de* ren [jen], *disons de la « générosité », au sens que donnèrent à ce mot Charles Sorel, puis Descartes, c'est évidemment fabuleux autant que les douze disciples du Christ. En Chine, soixante-douze est « le nombre caractéristique des confréries » (Granet).*

*Mais que son enseignement fût avant tout modeste, empirique et moral, voilà qui semble assuré : « Le Maître enseignait quatre choses, les lettres, la morale, la loyauté et la bonne foi. » Se référait-il au* Canon des poèmes, *jamais il n'en commentait la beauté; toujours il en éludait l'érotisme (pourtant charmant, et vif à l'occasion); il n'en retenait, au prix de quelle virtuosité, qu'un cours rimé de vertu : le* Canon *nous enseignerait à « cultiver en nous des intentions droites ».*

*Gardons-nous cependant d'imaginer un enseignement solennel et gourmé. Les* Entretiens familiers *nous permettent d'imaginer le maître avec ses disciples : tout se passe à la bonne franquette; à propos de n'importe quoi, un disciple interroge; ou bien c'est le* maître qui pose une question. Il advient que, durant la conversation, l'un des auditeurs continue à toucher son luth. Déférents, mais curieux, les disciples écoutent. On répond à la chinoise : par des anecdotes, des images exemplaires. Point de jargon d'école, de sophismes, d'arguments abstrus, d'arguties logiques ou théologiques. L'expérience, elle seule, enseigne. Zilu [Tseu-lou] avait si parfaitement assimilé la méthode qu'il ne recevait aucune idée neuve avant de l'avoir vérifiée dans la pratique : bien avant les marxistes, Kongzi enseignait donc ce qu'on appelle maintenant la dialectique de la théorie et de la praxis.

Morale insoucieuse à l'excès de la technique administrative, et, plus généralement, de toutes les techniques, et qui, par conséquent, n'avait guère de prise sur une civilisation en pleine mue économique. Tout au plus insistait-on sur une technique, celle de la politesse, des manières, ou, si l'on préfère, des rites (li), dans la mesure où cette technique-là contribue à former les gens de qualité, les junzi. Le sage confucéen, l'homme qui incarne la vertu de ren, jamais ne sera réduit au statut de technicien. Zigong [Tseu-kong] lui ayant demandé : « Que pensez-vous de moi ? — Tu es un qi [k'i] », répliqua Kongzi, c'est-à-dire : un outil, quelqu'un qui ne sert qu'à une fin; par conséquent, tu n'es pas (ou pas encore) un homme accompli. Cette formation, grâce à laquelle Confucius s'efforçait de révéler à chacun ce que Montaigne appellera plus tard sa « forme maîtresse », n'était point destinée à fabriquer en série des cerveaux interchangeables. C'est tout le contraire. « Ici, chacun dit ce qu'il pense », déclarait le Maître; ou bien : « Les traînards, je les pousse; les fougueux, je les retiens. » Persuadé que sa discipline rendait les bénéficiaires habiles à gouverner les hommes, il estimait qu'il est « contraire à la justice » de refuser les charges publiques. Dans un pays alors avant tout agricole, il approuvait l'irrigation, mais refusait d'enseigner l'agriculture. On lui en fait grief, surtout de nos jours, où prévaut le technicien, et règne le technocrate. Peut-être ferait-on mieux de louer en lui celui qui condamnait son disciple Ran Qiu [Jan K'ieou] parce que, profitant de ses fonctions, il avait prévariqué.

Hélas, pour peu qu'on l'admire et le propage, tout enseignement, et le moins contraignant, et le moins cérémonieux, finit par se durcir en dogmes et se figer en rites. Bien qu'il pensât que toute

*notre vie, intime et officielle, que tout ordre familial et social son,*
*garantis par l'ordre du langage, la droiture du cœur, un difficile*
*équilibre de quelques vertus et de quelques manières, bien qu'il se*
*souciât plutôt d'expériences vécues que de référence autoritaire à*
*des livres, à des gloses, assuré que la vertu agit d'autant plus*
*efficacement que plus discrètement, Confucius, comme tant de*
*moralistes réformateurs, fut trahi, sinon par ses disciples immédiats*
*– ce qui est difficile à déceler –, du moins par les disciples de ses*
*disciples.*

*L'histoire sainte du confucianisme veut que, sitôt mort le héros,*
*ses disciples prirent son deuil comme celui d'un père, pour trois*
*ans, et que Zigong resta trois autres années près de la tombe.*
*D'après le* Canon des documents, *les mêmes disciples se disper-*
*sèrent comme selon nous après la Pentecôte les disciples du Christ;*
*les meilleurs, en cela fidèles à leur maître les uns comme les autres,*
*se faisant nommer ministres, ou du moins conseillers de princes, à*
*moins qu'ils ne choisissent la retraite.*

*Mais, au bourg de Kong, un culte bientôt s'organise : on vénère*
*des reliques. Le duc de Lu y célèbre des sacrifices. Le petit-fils*
*du Maître est censé avoir joué un rôle décisif en rédigeant cette*
Grande Étude (Da xue [Ta hiue]) *et ce* Milieu juste (Zhong
yong [Tchong yong]), *ouvrages par lesquels Zhu Xi [Tchou Hi]*
*conseillera plus tard d'aborder l'étude de la doctrine. Ainsi commence*
*une dynastie qui se perpétuera jusqu'au XXᵉ siècle.*

*Tant s'en faut que ces traités transmettent le pur esprit confu-*
*céen; d'autres doctrines affleurent, celle en particulier qu'on lui*
*oppose d'ordinaire, le taoïsme. Tant s'en faut également que tout*
*soit clair dans ces pages. Ainsi la* Grande Étude *enseigne en*
*particulier qu'il faut* ge wu [ko wou], *formule en chinois très*
*ambiguë et dont certains glossateurs déduiront : scruter la nature*
*concrète des êtres et des choses; d'autres, en revanche, concluront*
*qu'il importe de scruter le mystère de l'Être. Deux écoles, ou deux*
*tendances divergentes peuvent sortir, sortent en effet de ces deux*
*mots : l'une qui aurait pu fonder les sciences de la nature, l'autre*
*qui s'oriente vers la métaphysique. Dans le* Milieu juste, *une*
*proposition taoïsante nuance heureusement, au point de la contre-*
*dire, la thèse du Maître sur les femmes : homme ou femme, peu*
*importe, tout être humain désormais peut connaître la norme, et*

*y atteindre (du moins en principe). Autre déviation taoïsante, le sage devrait imiter les saisons, l'eau, la terre, etc.*

*On ne saurait tirer au fixisme, au conservatisme, une pensée morale fondée sur un ordre en mouvement, et qui recommande un constant effort sur soi-même. Regrettons toutefois que le Maître ait accepté sans gêne apparente le statut qui était en son temps celui de la femme; déplorons chez lui une propension puritaine à gloser de travers mais pudibondement les chansons d'amour du* Canon *des poèmes. De l'anecdote ou de la poésie, on aimerait (quand on l'aime) qu'il sût mieux goûter la beauté. Telle n'était point sa vocation; s'il est d'accord pour reconnaître, avec les taoïstes proprement dits, que le dernier mot de la sagesse c'est probablement de vivre en paix dans la montagne, il pense que l'avant-dernier, c'est de transformer le monde. « Si l'Empire était bien gouverné, aurais-je besoin de le changer? »*

Etiemble

« Je remercie vivement l'*Encyclopaedia Universalis* qui m'autorisa gracieusement à reprendre en ce lieu la partie pertinente de l'article que je lui donnai sur *Confucius et le Confucianisme.* »

# INTRODUCTION DU TRADUCTEUR

> « Celui qui sait une chose ne vaut pas celui
> qui l'aime. Celui qui aime une chose ne vaut
> pas celui qui en fait sa joie. »
>
> (*Entretiens de Confucius*, VI. 20)

*Le grand savant japonais Yoshikawa Kojiro considérait les* Entretiens de Confucius *comme le plus beau livre du monde. J'ignore s'il mérite vraiment ce titre, ni même si la question de savoir quel est le plus beau livre du monde peut avoir une réponse, mais il est certain que dans toute l'Histoire nul écrit n'a exercé plus durable influence sur une plus grande partie de l'humanité.*

*Sans cette clé fondamentale, on ne saurait avoir accès à la civilisation chinoise. Et qui ignorerait cette civilisation ne pourrait jamais atteindre qu'une intelligence bien partielle de l'expérience humaine. Il n'est donc pas surprenant que ce texte soit beau par ailleurs, ni qu'il ait déjà suscité tant de traductions\* [1]. Ces*

---

\* Des notes de traduction (non appelées dans le texte) sont regroupées en fin de volume, page 115.

1. Il en existe plus de trente traductions ; c'est l'ouvrage chinois le plus souvent traduit, après le *Lao Zi* (« Le classique de la Voie et de la vertu »). En français, notons les traductions de S. Couvreur (1895) et, plus récemment, de D. Leslie (Seghers, Paris, 1962) et de A. Cheng (Le Seuil, Paris, 1981). J'ai fréquemment consulté ces deux derniers ouvrages avec beaucoup de profit. En anglais, on se référera à J. Legge (1861), et surtout à A. Waley (Allen & Unwin, Londres, 1938) et D.C. Lau (Penguin, Harmondsworth, 1979). Les deux meilleures traductions en chinois moderne (avec d'excellentes notes) sont celles de Qian Mu (*Lun yu xin jie*, 2 vol., New Asia Research Institute, Hong Kong, 1963) et Yang Bojun (*Lun yu yi zhu*, Xinhua, Pékin, 1958). J'y fais constamment référence.

*dernières toutefois (à quelques rares exceptions près [1]) ont essentiellement fait œuvre de science, et ne se sont guère préoccupées des vertus littéraires de l'original.*

*Aujourd'hui, traduire les* Entretiens *du chinois en français ne pose plus vraiment de problèmes de chinois, mais seulement des problèmes de français. Depuis le temps que les meilleurs esprits ont scruté ce texte, son sens ne prête plus guère à discussion. Pour les passages qui demeurent douteux, toutes les interprétations possibles semblent avoir été déjà explorées, soupesées et inventoriées. Quant aux passages obscurs (heureusement peu nombreux), ils resteront sans doute à jamais insolubles. Quoi qu'il en soit, tant d'illustres devanciers ont déjà labouré ce champ en tous sens, il serait naïf pour un dernier venu d'imaginer qu'il pourrait encore y faire des découvertes ou apporter des solutions originales. Une seule avenue restait donc encore à poursuivre — mais ce n'est pas la moindre : essayer de restituer en français les rythmes, la concision monumentale, la saveur, la force, l'économie rugueuse et roublarde de l'original. Ce programme était probablement irréalisable, et je crains que son seul énoncé n'assure ma condamnation. N'empêche, l'entreprise méritait d'être tentée.*

---

1. La plus illustre de ces exceptions est évidemment la traduction d'Ezra Pound (*Confucian Analects*, Peter Owen, Londres, 1933). Pound ne savait guère le chinois; ses interprétations sont quelquefois loufoques, et longtemps les sinologues ont entièrement négligé son travail. Ils avaient tort — en tout cas quand ils se mêlent de faire des traductions. Pound a fait preuve d'une infaillible intuition des rythmes de l'original; son savoir peut être souvent en défaut, son oreille ne se trompe jamais, et dans ce domaine il nous administre une leçon exemplaire. Cette question a été bien soulignée par S. W. Durrant dans son analyse critique de la traduction récente de D.C. Lau (« On Translating Lun Yu », in *Chinese Literature : Essays, Articles, Reviews,* janvier 1981, n° 1) : « I shudder to confess a belief that, despite his misconceptions about the Chinese script and his misunderstandings of numerous sayings, it is Ezra Pound who comes closest to capturing *Lun Yu*'s peculiar concreteness and economy. Compare for example his translations of the sayings below with the somewhat verbose and vapid style of Lau's renditions :

(1.16) *Lau* : The Master said, It is not the failure of others to appreciate your abilities that should trouble you, but rather your failure to appreciate theirs.

*Pound* : He said : Not worried that men do not know me, but that I do not understand men. »

(En français, on ne peut s'empêcher de rêver à ce qu'aurait pu être une traduction des *Entretiens* par un Henri Michaux par exemple!...)

*

Les autorités établies, les Églises, les institutions, systèmes, acadé-
mies, doctrines, monuments, catéchismes, pontifes, encycliques, théo-
logiens, dogmes, livres sacrés, édits, sermons, etc. peuvent être res-
pectables ou haïssables, admirables ou redoutables — en tout cas,
quand ils ont durablement nourri une civilisation et éduqué des
millions d'hommes pendant une vingtaine de siècles, ils ne sauraient
être négligeables. C'est vrai du confucianisme comme du christia-
nisme. Mais l'un et l'autre entretiennent aussi des relations complexes,
parfois même incertaines, malaisées et contradictoires avec leurs fon-
dateurs respectifs qui doivent être perpétuellement redécouverts et
libérés des alluvions accumulées par les âges. Pour effectuer ce retour
à la source, les Entretiens jouent un rôle semblable à celui de
l'Évangile, dans ce sens que c'est finalement le seul endroit où l'on
puisse encore et toujours rencontrer la personne vivante du Maître.

*

Le texte des Entretiens a été compilé après la mort de Confucius [1]
et ce travail de compilation effectué par au moins deux générations
successives de disciples s'est poursuivi pendant quelque trois quarts
de siècle, jusqu'aux environs de 400 avant J.-C. Cette compilation
a d'abord circulé en deux versions différentes qui ont finalement
été refondues et amalgamées peu avant le début de notre ère sous
la forme que nous lui connaissons aujourd'hui. Le texte comporte
donc naturellement des lacunes, des redites, des interpolations, des
fragments hétérogènes, des obscurités, des insertions d'éléments
étrangers et anachroniques. Et pourtant, malgré tous les rapetas-
sages et accidents de transmission, si l'on considère son âge vénérable, il a conservé dans l'ensemble une verdeur, une vigueur et
une cohérence étonnantes : la personnalité même de Confucius lui
donne sa vie et son unité.

P. R.

---

1. Selon l'historiographie traditionnelle, Confucius serait né en 551 et mort
en 479 avant notre ère. Ces dates n'emportent pas la conviction de la science
moderne, mais cette dernière n'a rien de mieux à proposer.

## REMERCIEMENTS

Je tiens à exprimer toute ma gratitude à Etiemble pour le soutien chaleureux qu'il a apporté à ce travail.

Mon collègue et ami Donald Leslie s'est donné la peine de relire ma traduction en détail; ensuite, Etiemble a lui-même procédé à une seconde lecture non moins minutieuse et attentive. Leurs critiques et suggestions m'ont été d'un appoint considérable; je leur en sais une vive reconnaissance.

P.R.

*Entretiens de Confucius*

# CHAPITRE PREMIER

1.1. Le Maître dit : « N'est-ce pas une joie d'étudier, puis, le moment venu, de mettre en pratique ce que l'on a appris? N'est-ce pas un bonheur d'avoir des amis qui viennent de loin? Et n'est-il pas un honnête homme celui qui, ignoré du monde, n'en conçoit nul dépit? »

1.2. Maître You dit : « Il ne se trouve guère de bons fils et de bons frères qui voudraient offenser leurs supérieurs. Il ne s'est jamais vu qu'un homme respectueux de ses supérieurs devienne un fauteur de troubles. L'honnête homme œuvre à la racine; celle-ci une fois assurée, l'ordre moral naît. La piété filiale et le respect des aînés sont les racines mêmes de l'humanité. »

1.3. Le Maître dit : « Discours habiles et attitudes affectées dénotent rarement la vertu. »

1.4. Maître Zeng dit : « Chaque jour je m'examine plusieurs fois : me suis-je fidèlement acquitté de mes engagements? Me suis-je montré digne de la confiance de mes amis? Ai-je mis en pratique ce qu'on m'a enseigné? »

1.5. Le Maître dit : « Pour gouverner un État d'une certaine importance, il faut traiter les affaires avec dignité et bonne foi, cultiver la frugalité et la compassion, n'imposer de corvées au peuple que durant les périodes prescrites. »

1.6. Le Maître dit : « À la maison, un jeune homme doit respecter ses parents; au-dehors, il doit respecter ses aînés. Il doit parler peu, mais avec sincérité. Il doit aimer tout le monde, mais ne s'attacher qu'aux gens vertueux. Quand ses devoirs lui en laissent le loisir, qu'il étudie les belles-lettres. »

1.7. Zixia dit : « Un homme qui priserait la vertu plutôt que le plaisir, qui se dévouerait de toutes ses forces au service de ses parents, qui serait prêt à donner sa vie pour son souverain, qui tiendrait fidèlement ses promesses envers ses amis – quand bien même d'aucuns le diraient inculte, je maintiendrai pour ma part que c'est un homme éduqué. »

1.8. Le Maître dit : « S'il est dénué de pondération, un homme de qualité restera sans autorité et son savoir demeurera futile. Avant tout, cultivez la fidélité et la bonne foi. Ne recherchez pas l'amitié de ceux qui ne vous valent pas. Quand vous commettez une faute, n'ayez pas peur de vous corriger. »

1.9. Maître Zeng dit : « Quand les morts sont honorés et que la mémoire des plus lointains ancêtres reste vivante, la force d'un peuple atteint sa plénitude. »

1.10. Ziqin demanda à Zigong : « Quand notre Maître visite un pays, il est toujours au courant de la situation politique. Demande-t-il cette information ou lui est-elle spontanément fournie? » Zigong répondit : « Le Maître obtient son information du seul fait qu'il est cordial, amène, poli, frugal et modeste. La façon dont le Maître s'informe n'est pas précisément celle du commun! »

1.11. Le Maître dit : « Du vivant de son père, observez les intentions d'un homme. Après la mort de son père, observez son comportement : si, pendant trois ans, il ne s'écarte pas de la voie que lui a tracée son père, on peut dire que c'est un bon fils. »

1.12. Maître You dit : « Dans la pratique des rites, ce qui compte, c'est l'harmonie. C'est cela qui faisait la beauté de la voie des anciens souverains, et qui inspirait toutes leurs entreprises, grandes ou petites. Mais il faut savoir où s'arrêter : une harmonie pure, cultivée pour elle-même, et qui ne serait plus réglée par les rites, ne saurait convenir. »

1.13. Maître You dit : « Que vos promesses soient conformes à la justice et vous pourrez tenir parole; que votre courtoisie soit conforme aux rites, et vous serez à l'abri de toute insulte. Le plus sûr soutien est celui que l'on trouve chez ses proches. »

1.14. Le Maître dit : « Un homme de qualité qui mange avec modération, qui n'exige nul confort dans son logement, qui se montre diligent aux affaires et circonspect dans ses propos, qui cultive la droiture en fréquentant les sages — celui-là, on peut vraiment dire qu'il aime l'étude. »

1.15. Zigong demanda : « Que diriez-vous d'un pauvre qui serait sans servilité, ou d'un riche qui serait sans arrogance ? » Le Maître dit : « Pas mal, mais il y a mieux : un pauvre qui serait joyeux, un riche qui serait poli. »
Zigong dit : « Dans les *Poèmes*, il est écrit : " Comme corne qu'on taille comme ivoire qu'on sculpte, comme jade qu'on cisèle, comme pierre qu'on polit ", n'est-ce pas la même idée ? » Le Maître répondit : « Ah! maintenant je puis enfin m'entretenir avec toi des *Poèmes*. On t'enseigne une chose, et tu es capable d'en déduire une autre. »

1.16. Le Maître dit : « Ce n'est pas un malheur d'être méconnu des hommes, mais c'est un malheur de les méconnaître. »

# CHAPITRE II

ii.1. Le Maître dit : « Celui qui fonde son gouvernement sur la vertu peut se comparer à l'étoile Polaire qui demeure immobile, cependant que les autres étoiles tournent autour d'elle. »

ii.2. Le Maître dit : « Une seule phrase peut résumer les trois cents *Poèmes* et c'est " penser droit ". »

ii.3. Le Maître dit : « Quand le gouvernement repose sur des règlements et que l'ordre est assuré à force de châtiments, le peuple se tient à carreau mais demeure sans vergogne. Quand le gouvernement repose sur la vertu et que l'ordre est assuré par les rites, le peuple acquiert le sens de l'honneur et se soumet volontiers. »

ii.4. Le Maître dit : « À quinze ans, je m'appliquais à l'étude. À trente ans, mon opinion était faite. À quarante ans, j'ai surmonté mes incertitudes. À cinquante ans, j'ai découvert la volonté du Ciel. À soixante ans, nul propos ne pouvait plus me troubler. Maintenant, à soixante-dix ans, je peux suivre tous les élans de mon cœur sans jamais sortir du droit chemin. »

ii.5. Le seigneur Meng Yi demanda en quoi consistait la piété filiale. Le Maître dit : « Ne désobéissez jamais. »
Comme Fan Chi lui conduisait son char, le Maître lui rapporta cet entretien : « Meng m'a demandé en quoi consistait la piété filiale, et je lui ai répondu de ne jamais désobéir. —

Qu'est-ce à dire? » demanda Fan Chi. Le Maître dit : « Du vivant de vos parents, servez-les selon les rites. À leur mort, enterrez-les selon les rites et puis sacrifiez à leur mémoire selon les rites. »

II.6. Le seigneur Meng Wu demanda en quoi consistait la piété filiale. Le Maître dit : « La seule inquiétude qu'un bon fils donne jamais à ses parents est celle de sa santé. »

II.7. Ziyou demanda en quoi consistait la piété filiale. Le Maître dit : « De nos jours, quiconque assure la subsistance de ses parents passe pour un bon fils. Mais on nourrit bien les chiens et les chevaux : à moins d'y mettre du respect, où donc est la différence? »

II.8. Zixia demanda en quoi consistait la piété filiale. Le Maître dit : « Tout est dans la manière; pour les cadets ce n'est pas simplement affaire d'alléger la tâche de leurs aînés, ou de leur offrir la primeur des vins et des viandes. La piété filiale est bien plus que cela! »

II.9. Le Maître dit . « Je peux parler à Yan Hui pendant un jour entier sans susciter la moindre objection de sa part; on le prendrait pour un idiot. Et pourtant quand on l'observe en privé, on voit comme il sait bien tirer profit de ce qu'il a appris. Oh non, Yan Hui n'est pas un idiot! »

II.10. Le Maître dit : « Voyez pourquoi un homme agit, observez comment il agit; examinez ce qui fait son bonheur. Que pourrait-il encore vous cacher? Que pourrait-il encore vous cacher? »

II.11. Le Maître dit : « Qui peut extraire une vérité neuve d'un savoir ancien a qualité pour enseigner. »

II.12. Le Maître dit : « Un honnête homme n'est pas un pot. »

II.13. Zigong demanda à Confucius à quoi se reconnaît un honnête homme. Le Maître dit : « Il ne prêche rien qu'il n'ait d'abord mis en pratique. »

II.14. Le Maître dit : « L'honnête homme considère le bien universel et non l'avantage particulier, tandis que l'homme vulgaire ne voit que l'avantage particulier et non le bien universel. »

II.15. Le Maître dit : « Étudier sans réfléchir est vain, mais réfléchir sans étudier est dangereux. »

II.16. Le Maître dit : « Attaquer un problème par le mauvais bout, voilà qui est désastreux ! »

II.17. Le Maître dit : « Zilu, je vais t'enseigner ce qu'est le savoir ! Le vrai savoir, c'est de reconnaître qu'on sait ce qu'on sait, et qu'on ne sait pas ce qu'on ne sait pas. »

II.18. Zizhang étudiait en vue d'obtenir une charge officielle. Le Maître lui dit : « Écoute beaucoup, laisse de côté ce qui est douteux et ne répète le reste qu'avec prudence ; de cette façon, tu te tromperas rarement. Observe beaucoup, laisse de côté ce qui est suspect, et n'adopte le reste qu'avec prudence ; de cette façon tu n'auras que rarement lieu de te repentir. Si tu te trompes rarement dans tes propos, et si tu n'as que rarement lieu de te repentir de tes actions, ta carrière est toute faite. »

II.19. Le duc Ai demanda : « Que faut-il faire pour se concilier le soutien du peuple ? » Le Maître dit : « Promouvez les hommes intègres et placez-les au-dessus des gens retors — le peuple vous soutiendra. Mais si vous placez les gens retors au-dessus des hommes intègres, le peuple cessera de vous soutenir. »

II.20. Le seigneur Ji Kang demanda : « Que faut-il faire pour rendre le peuple respectueux, loyal et zélé ? » Le Maître dit : « Traitez-le avec dignité et il sera respectueux ; montrez-vous bon fils et bon père, et il sera loyal. Promouvez les hommes de talent, éduquez les incompétents, et vous stimulerez son zèle. »

II.21. Quelqu'un demanda à Confucius : « Pourquoi ne prenez-vous aucune part au gouvernement ? » Le Maître dit : « Il est écrit dans les *Documents* : " Pratiquez la piété filiale avant toute chose, ainsi que l'amour fraternel, et le gouvernement en bénéficiera. " Cela aussi, c'est une façon de faire de la politique ; il n'est pas nécessaire pour autant de prendre part au gouvernement. »

II.22. Le Maître dit : « Je ne vois pas ce qu'on pourrait faire d'un homme qui ne tient pas parole : comment utiliser un char sans timon, ou une voiture sans brancards ? »

II.23. Zizhang demanda s'il était possible de savoir ce qu'il adviendrait de la civilisation à dix générations de distance. Le Maître dit : « Les Yin ont hérité du rituel des Xia, et nous pouvons savoir ce qu'ils en ont retranché et ce qu'ils y ont ajouté. Les Zhou ont hérité du rituel des Yin, et nous pouvons savoir ce qu'ils en ont retranché et ce qu'ils y ont ajouté. Nous pouvons donc savoir ce que feront les éventuels successeurs des Zhou, même à cent générations de distance. »

II.24. Le Maître dit : « Sacrifier à un dieu qui n'est pas le vôtre, c'est de la flagornerie. Ne pas agir quand la justice le commande, c'est de la lâcheté. »

# CHAPITRE III

III.1. Le chef du clan Ji employait huit rangs de danseurs dans les cérémonies de son temple ancestral, ce qui fit dire à Confucius : « S'il est capable de cela, de quoi d'autre ne sera-t-il pas capable ? »

III.2. Les trois grandes familles du pays de Lu faisaient chanter le poème *Yong* à la fin de leurs sacrifices aux ancêtres. Le Maître dit : « Il est écrit dans ce poème :

> *Les vassaux servent,*
> *Le Fils du Ciel trône.*

Qu'est-ce que ce poème vient faire dans les cérémonies des trois grandes familles ? »

III.3. Le Maître dit : « Si un homme est dépourvu d'humanité, que lui servent les rites ? Si un homme est dépourvu d'humanité, que lui sert la musique ? »

III.4. Lin Fang demanda en quoi consistait l'essence des rites. Le Maître dit : « Grande question ! Dans les cérémonies, préférez la simplicité à l'opulence ; dans les funérailles, préférez les larmes à la pompe. »

III.5. Le Maître dit : « Les Barbares qui ont des chefs ne valent pas les divers peuples de Chine qui n'en ont pas. »

III.6. Le chef du clan Ji s'apprêtait à aller en pèlerinage royal au mont Tai. Le Maître dit à Ran Qiu : « Ne pouvez-vous donc pas l'arrêter ? » L'autre répondit : « Non, je ne le puis. » Le Maître dit : « Hélas, devrons-nous supposer que l'Esprit du mont Tai soit moins bien informé des usages que Lin Fang ? »

III.7. Le Maître dit : « Un honnête homme évite la compétition. Ou, sinon, qu'il en fasse seulement au tir à l'arc. Mais même là, à l'entrée en lice et aux libations finales, il s'incline et s'efface devant ses concurrents. Même en compétition, il reste honnête homme. »

III.8. Zixia demanda : « Que signifient les vers :

*Oh, les fossettes de son sourire charmant !*
*Oh, le noir de ses beaux yeux !*
*Les couleurs chatoient sur la blancheur de la toile* » ?

Le Maître dit : « Pour peindre, il faut d'abord une toile blanche. » L'autre dit : « La civilisation serait ce qui vient en dernier ? » Le Maître dit : « Ah, il n'y a que toi pour m'ouvrir des perspectives ! Maintenant je peux commencer à discuter avec toi des *Poèmes*. »

III.9. Le Maître dit : « Puis-je parler de la civilisation Xia ? Son héritier, le pays de Qi, n'en a pas conservé de témoignages suffisants. Puis-je parler de la civilisation Yin ? Son héritier, le pays de Song, n'en a pas conservé de témoignages suffisants. Les documents et la tradition des sages nous font défaut ; sinon, j'aurais de quoi étayer mes théories. »

III.10. Le Maître dit : « Dans le sacrifice à l'Ancêtre de la Dynastie, la première libation faite, je ne tiens pas à voir la suite. »

III.11. Quelqu'un demanda à Confucius d'expliquer le sens du sacrifice à l'Ancêtre de la Dynastie. Le Maître dit : « Je ne sais pas. Qui le saurait, tiendrait le monde entier dans le creux de sa main. » Et en disant cela, il pointa du doigt la paume de sa main.

III.12. Qui dit « sacrifice », dit « présence ». On doit sacrifier aux dieux comme si les dieux étaient présents. Le Maître dit : « Si on sacrifie sans y mettre son cœur, autant ne pas sacrifier du tout. »

III.13. Wangsun Jia demanda : « Que signifie le dicton : *Mieux vaut faire ses dévotions au dieu de la cuisine qu'au dieu de la maison?* » Le Maître dit : « Ce dicton n'a pas de sens. À qui offense le Ciel, rien ne sert de prier. »

III.14. Le Maître dit : « La dynastie Zhou s'est inspirée des deux dynasties qui l'ont précédée. Comme sa culture est splendide! Je suis un partisan de Zhou. »

III.15. Le Maître entra dans le Grand Temple du Fondateur de la Dynastie; il se fit tout expliquer. Quelqu'un dit : « Et on prétend que ce bonhomme-là s'y connaît en fait de rituel? Il entre dans le temple, et il doit tout se faire expliquer. » Entendant cela, le Maître dit : « C'est précisément ça, le rituel. »

III.16. Le Maître dit : « Dans le tir à l'arc, ce qui compte, ce n'est pas de percer la cible, car les tireurs peuvent être d'inégale force. Telle était la façon de voir des Anciens. »

III.17. Zigong voulait supprimer le sacrifice du mouton dans la cérémonie de l'Annonce de la Nouvelle Lune. Le Maître dit : « Ah, tu tiens à tes moutons; moi, je tiens à m. cérémonie! »

III.18. Le Maître dit : « Un homme qui sert son souverain en suivant scrupuleusement l'étiquette passe aux yeux du monde pour un flagorneur. »

III.19. Le duc Ding demanda : « Comment le souverain doit-il traiter ses ministres? Comment les ministres doivent-ils servir leur souverain? » Confucius répondit : « Le souverain doit traiter ses ministres avec courtoisie, les ministres doivent servir leur souverain avec loyauté. »

III.20.  Le Maître dit : « Le poème des *Orfraies* exprime une joie sans lascivité et une mélancolie sans amertume. »

III.21.  Le duc Ai demande à Zai Yu de quel bois devait être fait le totem du terroir. Zai Yu répondit : « À l'époque Xia, il était fait de pin, à l'époque Yin, il était fait de cyprès. Quant à Zhou, il a choisi le tremble — afin, disait-il, que le peuple tremble. »
Quand Confucius entendit ce propos, il s'exclama : « Ce qui est dit, est dit ; ce qui est fait, est fait ; inutile d'y revenir ! »

III.22.  Le Maître dit : « Guan Zhong était d'un calibre bien médiocre ! » Quelqu'un lui demanda : « Mais Guan Zhong n'était-il pas frugal ? » Il répondit : « Guan Zhong avait trois palais, chacun équipé de tout son personnel au grand complet. Vous appelez cela de la frugalité ? — Mais n'était-il pas versé en matière de rituel ? — C'est un privilège du souverain de dresser un paravent devant sa porte ; Guan Zhong en avait un, bien qu'il ne fût que ministre. C'est un privilège du souverain de disposer d'un trépied spécial pour sa coupe dans les rencontres diplomatiques ; Guan Zhong s'en était également arrogé un. Si vous appelez cela être au fait du rituel, à ce compte-là, qui ne serait expert en la matière ? »

III.23.  Comme il parlait de musique avec le maître de chapelle de la cour de Lu, le Maître dit : « Dans la musique, ce qui peut se décrire tient en ceci : il y a d'abord une ouverture vigoureuse, avec tous les instruments à l'unisson ; puis le fil de la mélodie se poursuit, clair et continu jusqu'à la fin. »

III.24.  Un garde-frontière de la place de Yi demanda une entrevue avec Confucius, car, dit-il, il avait toujours tenu à rencontrer tous les visiteurs distingués qui passaient par là. L'entourage de Confucius lui arrangea donc une entrevue. À l'issue de celle-ci, il déclara aux disciples : « Messieurs, ne vous affligez pas de ce que votre Maître ait perdu son emploi. Le monde va de travers depuis longtemps déjà ; le Ciel s'apprête maintenant à se servir de votre Maître pour sonner le tocsin. »

III.25. De l'*Hymne du couronnement de Shun*, le Maître dit qu'il était parfaitement beau et parfaitement bon ; de l'*Hymne de la conquête de Wu*, il dit qu'il était parfaitement beau, mais pas parfaitement bon.

III.26. Le Maître dit : « Un pouvoir exercé sans générosité, ou des cérémonies exécutées sans dignité, ou des funérailles conduites sans larmes, voilà ce que je ne puis souffrir. »

# CHAPITRE IV

IV.1. Le Maître dit : « Il est bon d'habiter là où règne l'humanité. Qui choisit de séjourner là où elle fait défaut, manque de sagesse. »

IV.2. Le Maître dit : « Un homme dépourvu d'humanité ne saurait supporter longtemps ni l'adversité ni la prospérité. L'homme bon jouit tranquillement de sa bonté, et l'homme sage la met à profit. »

IV.3. Le Maître dit : « Seul un homme pleinement humain sait bien aimer et sait bien haïr. »

IV.4. Le Maître dit : « Que l'on s'efforce d'être pleinement humain et il n'y aura plus place pour le mal. »

IV.5. Le Maître dit : « Les hommes désirent tous la richesse et les honneurs ; mais pour en jouir, ils ne devraient pas sacrifier leurs principes. Les hommes ont tous horreur de la pauvreté et de l'obscurité, mais pour y échapper, ils ne devraient pas sacrifier leurs principes. Si l'homme de qualité renonce à la vertu, comment pourrait-il illustrer son nom ? Il ne s'écarte jamais du bien, fût-ce un seul instant ; jamais il ne s'en détache, ni dans le désarroi ni dans la tribulation. »

IV.6. Le Maître dit : « Je n'ai encore jamais vu un homme qui aime vraiment le bien et qui haïsse vraiment le mal Qui

25

aimerait le bien, ne lui préférerait rien d'autre; qui haïrait le mal, ferait le bien de telle sorte que nul mal ne pourrait plus l'habiter. S'est-il jamais trouvé quelqu'un qui ait poursuivi le bien de toutes ses forces, fût-ce un seul jour? Et pourtant ce n'est pas la force qui nous manque. Peut-être y a-t-il des gens à qui cette force manquerait – mais pour ma part je n'en ai jamais rencontré. »

IV.7. Le Maître dit : « Vos fautes vous définissent. C'est à vos fautes que l'on connaît votre vertu. »

IV.8. Le Maître dit : « Si un matin vous trouvez la Voie, vous pouvez mourir content le même soir. »

IV.9. Le Maître dit : « Un clerc s'attache à la vérité; s'il est honteux de son méchant habit et de son méchant ordinaire, il ne mérite pas qu'on le prenne au sérieux. »

IV.10. Le Maître dit : « Dans les affaires du monde, l'honnête homme est sans parti pris : il se range à ce qui est juste. »

IV.11. Le Maître dit : « L'honnête homme fait fond sur les ressources de son cœur, l'homme vulgaire fait fond sur celles de sa terre. L'honnête homme n'attend que la justice, l'homme vulgaire attend des faveurs. »

IV.12. Le Maître dit : « Qui prend l'opportunité pour guide de ses actions, provoquera bien des récriminations. »

IV.13. Le Maître dit : « Peut-on vraiment gouverner un pays par les rites et la déférence? Bien sûr! Si on ne le pouvait, à quoi serviraient les rites? »

IV.14. Le Maître dit : « Ne vous souciez pas d'être sans emploi; souciez-vous plutôt d'être digne d'un emploi. Ne vous souciez pas de n'être pas remarqué; cherchez plutôt à faire quelque chose de remarquable. »

IV.15. Le Maître dit : « Ô Shen! Ma doctrine est une trame tissée d'un seul fil! » Maître Zeng répondit : « En effet. »

Après que le Maître fut sorti, les autres disciples demandèrent à Maître Zeng : « Qu'est-ce que cela veut dire? » Maître Zeng répondit : « La doctrine du Maître tient simplement dans le précepte de la fidélité à soi et à autrui, un point c'est tout. »

IV.16. Le Maître dit : « L'honnête homme envisage les choses du point de vue de la justice, l'homme vulgaire, du point de vue de son intérêt. »

IV.17. Le Maître dit : « Quand vous rencontrez un homme vertueux, cherchez à l'égaler. Quand vous rencontrez un homme dénué de vertu, examinez vos propres manquements. »

IV.18. Le Maître dit : « Quand vous servez vos parents, si vous avez des remontrances à leur faire, formulez-les de façon douce et enveloppée; si vous voyez qu'ils ne vous écoutent pas, redoublez d'égards et ne les contredisez pas; que votre désappointement ne tourne pas en récriminations. »

IV.19. Le Maître dit : « Du vivant de vos parents, n'entreprenez pas de longs voyages. Ou, si vous voyagez, vous devez laisser une adresse. »

IV.20. Le Maître dit : « On peut dire qu'il est vraiment un bon fils celui qui, trois ans après la mort de son père, n'a toujours pas dévié du chemin que ce dernier lui avait tracé. »

IV.21. Le Maître dit : « Gardez à l'esprit l'âge de vos père et mère : que cette pensée soit et votre joie et votre inquiétude. »

IV.22. Le Maître dit : « Les Anciens ne parlaient pas à la légère, craignant la honte qui résulterait pour eux si leurs actes ne se montraient pas à la hauteur de leurs paroles. »

IV.23. Le Maître dit : « Rares sont ceux qui pèchent par discipline. »

IV.24. Le Maître dit : « L'honnête homme est lent à la parole et prompt à l'action. »

IV.25. Le Maître dit : « La vertu n'est pas solitaire ; elle suscite invariablement des voisins. »

IV.26. Ziyou dit : « Qui fait montre de mesquinerie au service de son prince, s'expose à la disgrâce ; qui fait montre de mesquinerie envers ses amis, se les aliène. »

# CHAPITRE V

v.1. Le Maître dit à propos de Gongye Chang : « Il fera un bon mari. Il a certes séjourné en prison, mais ce n'était pas sa faute. » Et il lui donna sa fille en mariage.

v.2. Le Maître dit à propos de Nangong Kuo : « Dans un État bien gouverné, il ne restera pas sans emploi; dans un État mal gouverné, il saura toujours sauver sa tête. » Et il lui donna sa nièce en mariage.

v.3. Le Maître dit à propos de Zijian : « Voilà ce que j'appelle un honnête homme! Si le pays de Lu était dépourvu d'honnêtes gens, d'où celui-ci tiendrait-il ses qualités? »

v.4. Zigong demanda : « Comment me jugez-vous? » Le Maître dit : « Tu es un pot. » L'autre reprit : « Quel genre de pot? » Le Maître répondit : « Un de ces précieux vases rituels dont on se sert pour les offrandes dans les temples. »

v.5. Quelqu'un dit : « Ran Yong est vertueux, mais il n'a aucune éloquence. » Le Maître dit : « À quoi bon l'éloquence? Ceux qui ont la langue trop bien pendue se créent une foule d'ennemis. J'ignore si Yong est vertueux; je sais seulement qu'il n'a nul besoin d'éloquence. »

v.6. Le Maître voulait que Qidiao Kai accepte une charge officielle, mais ce dernier répondit : « Je ne me sens pas encore à la hauteur. » Cette réponse plut au Maître.

v.7. Le Maître dit : « La Voie ne réussit pas à s'imposer. Je vais m'embarquer sur un radeau de haute mer et prendre le large. Qui donc me suivra, sinon Zilu ? » En entendant cela, Zilu se réjouit. Le Maître dit : « Décidément, Zilu est plus brave que moi. En fait, où trouverions-nous l'équipement pour une telle expédition ? »

v.8. Le seigneur Meng Wu demanda au Maître si Zilu avait atteint la vertu suprême. Le Maître répondit : « Je ne sais pas. » Comme l'autre revenait à la charge, le Maître reprit : « Dans un État de moyenne importance, on pourrait lui confier le ministère de la Guerre. Quant à sa vertu, je n'en sais rien. »
« Et Ran Qiu, qu'en pensez-vous ? » Le Maître répondit : « Ran Qiu ? Il pourrait être gouverneur d'une petite ville, ou intendant d'un grand domaine. Quant à sa vertu, je n'en sais rien. »
« Et Gongxi Chi ? – Gongxi Chi ? Je le verrais bien à la cour, ceint de son écharpe, accueillant les visiteurs de marque. Quant à sa vertu, je n'en sais rien. »

v.9. Le Maître demanda à Zigong : « Qui est le meilleur, toi ou Yan Hui ? » L'autre répondit : « Comment oserais-je me comparer à Yan Hui ? Vous dites une chose à Yan Hui, et il est capable d'en déduire dix. Vous m'en dites une, et je ne puis en déduire que deux. » Le Maître dit : « Il t'est supérieur ; en fait, il nous est supérieur à tous deux. »

v.10. Zai Yu dormait en plein jour. Le Maître dit : « On ne peut pas sculpter du bois pourri ; on ne peut pas plâtrer un mur fait de bouse ; à quoi bon le réprimander ? » Puis il ajouta : « Autrefois j'avais l'habitude de croire les gens sur parole, mais Zai Yu m'a fait changer : maintenant, quand les gens me font des promesses, je regarde comment ils se comportent. »

v.11. Le Maître dit : « Je n'ai encore jamais rencontré un homme qui fût d'une fermeté absolue. – Et Shen Cheng ? » lui demanda quelqu'un. « Shen Cheng ? reprit le Maître, mais c'est un homme de désir, comment pourrait-il passer pour ferme? »

v.12. Zigong dit : « Je ne veux pas faire à autrui ce que je ne voudrais pas qu'on me fît. » Le Maître dit : « Allons donc! Tu n'en es pas encore là! »

v.13. Zigong dit : « Nous pouvons écouter et recueillir l'enseignement du Maître sur tout ce qui relève du savoir et de la culture, mais il n'y a pas moyen de le faire parler de la nature des choses, ni de la Voie céleste. »

v.14. Quand Zilu avait appris une chose, sa seule crainte était d'en apprendre une seconde avant d'avoir pu mettre la première en pratique.

v.15. Zigong demanda : « Pourquoi Kong fut-il surnommé " le Civilisé "? » Le Maître répondit : « Il était sensible, il aimait l'étude, et il ne rougissait pas de s'instruire auprès de ses inférieurs; c'est pourquoi on l'a surnommé " le Civilisé ". »

v.16. Le Maître dit à propos de Zichan : « Il se comporte en gentilhomme sur quatre points : sa conduite privée est digne; il sert ses supérieurs avec respect; il traite le peuple avec générosité; il distribue les corvées avec justice. »

v.17. Le Maître dit : « Yan Ying savait comment traiter les gens. Plus on le fréquentait, plus on le respectait. »

v.18. Le Maître dit : « Zang Sunchen a bâti une maison pour sa tortue géante, avec une voûte imitant des rochers, et des plantes peintes sur les piliers. Où donc a-t-il la tête? »

v.19. Zizhang demanda : « Ziwen fut nommé trois fois Premier ministre du pays de Chu, mais n'en tira jamais le moindre plaisir; il fut trois fois démis de sa charge, mais n'en montra jamais le moindre dépit. Il mit chaque fois son successeur au courant des affaires. Qu'en pensez-vous? » Le Maître dit : « Il fut la loyauté même. » L'autre demanda : « A-t-il atteint la suprême humanité? – Je n'en sais rien, et je ne vois pas ce qui permettrait de le penser. »

« Quand Cui Zhu eut assassiné le souverain de Qi, Chen Xuwu abandonna son fief et s'exila de Qi. Il s'installa dans un autre pays, mais après un temps il déclara : " Ce gouvernement-ci ne vaut pas mieux que celui de Cui Zhu ", et il s'exila à nouveau. Il gagna un autre pays, mais après un temps, déclara à nouveau : " Ce gouvernement-ci ne vaut pas mieux que celui de Cui Zhu ", et il s'exila encore une fois. Qu'en pensez-vous? – Il fut l'intégrité personnifiée. – Mais a-t-il atteint la suprême humanité? – Je n'en sais rien, et je ne vois pas ce qui permettrait de le penser. »

v.20. Le seigneur Ji Wen réfléchissait toujours trois fois avant d'agir. Quand le Maître apprit cela, il dit : « Deux fois devraient suffire. »

v.21. Le Maître dit : « Quand le pays était bien gouverné, le seigneur Ning Wu était intelligent. Quand le pays était mal gouverné, il devenait idiot. L'intelligence de Ning Wu peut s'égaler, mais son imbécillité est inimitable. »

v.22. Le Maître se trouvait dans le pays de Chen. Il s'écria : « Rentrons à la maison, rentrons à la maison! Nos petits jeunes gens sont bouillants d'ambition; ils ont de l'étoffe, mais ne savent quel parti en tirer. »

v.23. Le Maître dit : « Boyi et Shuqi ne remâchaient pas de vieilles rancœurs, aussi n'eurent-ils guère d'ennemis. »

v.24. Le Maître dit : « Qui donc prétend que Weisheng Gao ait été droit? Quelqu'un était venu lui demander un peu de vinaigre; il alla lui-même en demander chez le voisin et donna ce que le voisin lui avait donné. »

v.25. Le Maître dit : « Discours habiles, attitudes affectées, ronds de jambes à profusion – voilà ce que Zuoqiu Ming jugeait honteux; et moi aussi d'ailleurs! Rechercher l'amitié d'un homme que l'on déteste secrètement – voilà ce que Zuoqiu Ming jugeait honteux; et moi aussi d'ailleurs!»

v.26. Comme Yan Hui et Zilu se tenaient aux côtés du Maître, celui-ci leur dit : «Et si chacun de vous me confiait ses souhaits?» Zilu répondit : «Je voudrais pouvoir prêter mes voitures, chevaux, vêtements et fourrures à mes amis sans m'inquiéter de ce qu'ils les abîment.» Yan Hui dit : «Je voudrais pouvoir ne jamais me vanter de ma vertu, ni étaler mes mérites.»

Zilu demanda : «Maître, pourrions-nous savoir ce que vous souhaitez vous-même?» Le Maître dit : «Que je puisse consoler les vieillards; que je puisse mériter la fidélité de mes amis; que je puisse susciter l'affection des jeunes.»

v.27. Le Maître dit : «Il n'y a rien à faire, je n'ai jamais rencontré un homme qui fût capable de découvrir ses propres fautes ou d'instruire son propre procès.»

v.28. Le Maître dit : «Dans n'importe quel hameau de dix feux, vous trouverez à coup sûr des hommes dont la loyauté et la bonne foi égalent les miennes, mais vous n'en trouverez pas un qui aime l'étude autant que moi.»

# CHAPITRE VI

VI.1. Le Maître dit : « Ran Yong a l'étoffe d'un prince. »

VI.2. Ran Yong demanda à Confucius ce qu'il pensait de Zisang Bozi. Le Maître dit : « Il est familier, mais d'une façon tolérable. » Ran Yong dit : « Si l'on est soi-même naturellement sérieux, on peut sans doute se permettre de traiter le peuple avec familiarité; mais une politique familière qui résulterait d'un naturel désinvolte risque de tomber dans le laisser-aller. » Confucius dit : « Tu as tout à fait raison. »

VI.3. Le duc Ai demanda : « Lequel de vos disciples a du zèle pour l'étude? » Confucius répondit : « Il y avait Yan Hui qui était zélé. Il ne se laissait jamais emporter par son humeur, ni ne commettait deux fois la même faute. Hélas, sa destinée fut brève : il est mort. Il n'y a plus d'hommes comme lui maintenant; je n'ai rencontré personne qui fût capable d'un tel zèle. »

VI.4. Ran Qiu demanda une allocation de grain pour la mère de Gongxi Chi, car ce dernier avait été envoyé en ambassade au pays de Qi. Le Maître dit : « Qu'on lui donne un boisseau. » L'autre demanda un supplément. Le Maître dit : « Un demi-boisseau de plus. » Ran Qiu lui alloua dix fois plus. Le Maître dit : « Chi est en mission, muni de gras équipages et de fines fourrures. J'ai toujours entendu dire que l'honnête homme s'employait à secourir les besogneux, non pas à enrichir les riches. »

VI.5. Yuan Xian servait Confucius en qualité d'intendant. Confucius lui offrit neuf cents mesures de grain. Yuan Xian les refusa. Le Maître dit : « Ne les refuse pas, tu peux toujours les donner aux gens de ton village. »

VI.6. Le Maître fit ce commentaire au sujet de Ran Yong : « Certains hésitent à offrir en sacrifice aux monts et rivières le rejeton d'une vulgaire bête de labour, mais s'il s'agit d'un beau taurillon à poil roux, bien cornu, pourquoi les dieux feraient-ils la fine bouche ? »

VI.7. Le Maître dit : « Ah, Yan Hui pouvait attacher son cœur pendant des mois à la poursuite de la vertu suprême, tandis que les autres n'y pensent qu'un instant de temps à autre. »

VI.8. Le seigneur Ji Kang demanda : « Peut-on confier le gouvernement à Zilu ? » Le Maître dit : « Zilu a de la décision ; pourquoi ne pourrait-on pas lui confier le gouvernement ? »
L'autre reprit : « Peut-on confier le gouvernement à Zigong ? » Le Maître dit : « Zigong a de la pénétration ; pourquoi ne pourrait-on pas lui confier le gouvernement ? »
L'autre reprit : « Peut-on confier le gouvernement à Ran Qiu ? » Le Maître dit : « Ran Qiu a du talent ; pourquoi ne pourrait-on pas lui confier le gouvernement ? »

VI.9. Le chef du clan Ji voulut confier à Min Ziqian la position d'intendant de son domaine de Bi. Min Ziqian répondit au messager : « Ayez la bonté de transmettre mes regrets à votre maître. S'il revient à la charge, je me verrai forcé de m'enfuir de l'autre côté de la rivière. »

VI.10. Boniu tomba malade. Confucius vint prendre de ses nouvelles. Il lui serra la main par la fenêtre et s'écria : « Il est perdu, c'est son destin ! Dire qu'un tel homme puisse être victime d'un tel mal, dire qu'un tel homme puisse être victime d'un tel mal!»

VI.11. Le Maître dit : « Quel homme admirable était Yan Hui! Il vivait d'une poignée de riz et d'une calebasse d'eau claire, il habitait dans un taudis, nul n'aurait enduré pareille misère, mais lui restait d'une joie imperturbable. Quel homme admirable était Yan Hui!»

VI.12. Ran Qiu dit : « Ce n'est pas que je n'aime pas votre doctrine, mais elle dépasse mes forces. » Le Maître répondit : « Qui est à bout de forces, peut toujours s'arrêter à mi-route. Mais toi, tu as renoncé d'avance. »

VI.13. Le Maître dit à Zixia : « Assume noblement ta condition de clerc; ne sois pas un clerc vulgaire. »

VI.14. Ziyou était gouverneur de Wucheng. Le Maître lui demanda : « Avez-vous là des gens de valeur? » L'autre répondit : « Il y a un certain Dantai Mieming; il n'emprunte jamais de chemins de traverse, et il ne vient jamais me trouver, sauf pour affaire officielle. »

VI.15. Le Maître dit : « Meng Zhifan n'était pas vantard. L'armée ayant été mise en déroute, il en couvrit la retraite. Arrivé aux portes de la cité, il fouetta enfin ses chevaux en disant : « Ce n'est pas le courage qui m'a tenu à l'arrière-garde, mais la lenteur de mon équipage. »

VI.16. Le Maître dit : « Pour survivre dans un siècle comme le nôtre, il ne suffit pas d'avoir la beauté du prince Zhao de Song, encore faudrait-il avoir le bagou du prêtre Tuo. »

VI.17. Le Maître dit : « Nul ne songerait à sortir autrement que par la porte. Pourquoi les gens cherchent-ils à marcher en dehors de la Voie? »

vi.18. Le Maître dit : « Quand le naturel l'emporte sur la culture, cela donne un sauvage ; quand la culture l'emporte sur le naturel, cela donne un pédant. L'exact équilibre du naturel et de la culture produit l'honnête homme. »

vi.19. Le Maître dit : « Un homme survit grâce a son hon nêteté ; les malhonnêtes gens ne doivent leur survie qu'a la chance. »

vi.20. Le Maître dit : « Celui qui sait une chose ne vaut pas celui qui l'aime. Celui qui aime une chose ne vaut pas celui qui en fait sa joie. »

vi.21. Le Maître dit : « À des hommes moyens, on peut expliquer les choses supérieures. À des hommes inférieurs, on ne peut pas expliquer les choses supérieures. »

vi.22. Fan Chi demanda en quoi consistait la sagesse. Le Maître dit : « Assurer au peuple ce à quoi il a droit, respecter les esprits et les dieux tout en les tenant à distance – voilà ce que l'on peut appeler la sagesse. »
L'autre demanda en quoi consistait la bonté. Le Maître dit : « L'homme bon commence par le plus ardu et ne récolte qu'en dernier lieu. »

vi.23. Le Maître dit : « L'homme sage aime l'eau, l'homme bon aime la montagne. L'homme sage est actif, l'homme bon est tranquille. L'homme sage est joyeux, l'homme bon vit longtemps. »

vi.24. Le Maître dit : « Il suffirait d'une réforme pour que le pays de Qi égale le pays de Lu ; il suffirait d'une réforme pour que le pays de Lu atteigne la Voie. »

vi.25. Le Maître dit : « Un vase carré qui serait rond : curieuse façon d'être un vase carré ! »

VI.26. Zai Yu demanda : « Si l'on dit à un homme vertueux que la vertu suprême gît au fond du puits, doit-il l'y rejoindre? – Pourquoi donc? répondit le Maître. Un honnête homme peut se laisser conduire, mais non se laisser séduire; on peut le duper, mais on ne saurait lui faire quitter le droit chemin. »

VI.27. Le Maître dit : « L'honnête homme s'ouvre l'esprit avec les lettres, il se discipline avec les rites, et ainsi il ne saurait s'écarter du droit chemin. »

VI.28. Le Maître rendit visite à Nanzi, la concubine du duc Ling. Ceci ne plut guère à Zilu. Le Maître jura : « Si j'ai mal agi, que le Ciel me confonde! Que le Ciel me confonde! »

VI.29. Le Maître dit : « L'efficacité du milieu juste est suprême, mais la plupart des gens en ont perdu la notion depuis longtemps. »

VI.30. Zigong demanda : « Que penseriez-vous d'un homme qui comblerait le peuple de bienfaits et qui viendrait en aide à la multitude? Peut-on dire qu'il aurait atteint la vertu suprême? » Le Maître dit : « Ceci n'a rien à voir avec la vertu suprême. Pareil homme serait un saint – même Yao et Shun seraient bien en peine de l'égaler. En revanche, pour ce qui est d'atteindre la vertu suprême, la recette est à la portée de la main : prenez pour guide vos propres aspirations – assurez à votre prochain le sort que vous vous souhaiteriez à vous-même, obtenez pour lui ce que vous souhaiteriez obtenir pour vous-même. »

# CHAPITRE VII

VII.1. Le Maître dit : « Je transmets, je n'invente rien. Je suis de bonne foi et j'aime l'Antiquité. En ceci j'ose me comparer au vénérable Peng. »

VII.2. Le Maître dit : « Engranger le savoir en silence, étudier sans trêve, enseigner inlassablement : tout cela ne me coûte guère. »

VII.3. Le Maître dit : « Ce qui me tourmente, c'est l'idée de ne pouvoir assez cultiver la vertu, ni approfondir ce que j'ai appris, ni suivre ce que dicte la justice, ni corriger mes imperfections. »

VII.4. Dans la vie de tous les jours, le Maître était ordonné et affable.

VII.5. Le Maître dit : « J'ai terriblement vieilli! Voilà bien longtemps déjà que je n'ai plus rêvé du duc de Zhou. »

VII.6. Le Maître dit : « Visez la Voie; misez sur la vertu; fondez sur le bien et délassez-vous avec les arts. »

VII.7. Le Maître dit : « Je n'ai jamais refusé mon enseignement à quiconque était venu spontanément me le demander, eût-il été pauvre au point de ne pouvoir m'offrir qu'un petit cadeau de viande séchée. »

VII.8. Le Maître dit : « Je n'éclaire que les enthousiastes; je ne guide que ceux qui brûlent de s'exprimer. Mais quand j'ai soulevé un angle de la question, si l'élève n'est pas capable d'en déduire les trois autres, je ne lui répète pas la leçon. »

VII.9. Quand le Maître mangeait à côté d'un homme en deuil, il modérait son appétit.

VII.10. Quand le Maître avait pleuré, il ne chantait pas dans la même journée.

VII.11. Le Maître dit à Yan Hui : « Servir quand on est convoqué, se retirer quand on est congédié – il n'y a que toi et moi qui soyons capables de cela. »
Zilu demanda : « Si vous aviez le commandement des armées, qui vous choisiriez-vous pour lieutenant? » Le Maître répondit : « Je ne choisirais certainement pas un homme prêt à combattre un tigre à mains nues ou à traverser le fleuve Jaune à la nage, ni un énergumène qui ne tiendrait pas à la vie. Il me faudrait quelqu'un qui n'accepte cette charge qu'avec appréhension, et qui mise avant tout sur la stratégie pour atteindre son objectif. »

VII.12. Le Maître dit : « S'il existait une méthode honnête pour devenir riche, au besoin je me ferais bien palefrenier. Mais comme pareille méthode n'existe pas, autant suivre mes propres inclinations. »

VII.13. Les affaires que le Maître traitait avec la plus grande prudence : le jeûne, la guerre, la maladie.

VII.14. Comme il était au pays de Qi, le Maître entendit l'*Hymne du couronnement de Shun*. Pendant trois mois, il en perdit le goût de la viande. Il dit : « Jamais je n'aurais imaginé que la musique pût aller jusque-là. »

VII.15. Ran Qiu demanda : « Notre Maître est-il partisan du duc de Wei? » Zigong répondit : « Bon, je vais le lui demander. » Il alla trouver Confucius et lui demanda : « Quel genre d'hommes étaient Boyi et Shuqi? – C'étaient des sages de l'Antiquité. » L'autre reprit : « Étaient-ils mécontents de leur sort? » Confucius répondit : « Cherchant la vertu suprême, ils ont trouvé la vertu suprême. Pourquoi auraient-ils été mécontents de leur sort? » Zigong prit congé et alla retrouver Ran Qiu. « Notre Maître n'est pas partisan du duc », dit-il.

VII.16. Le Maître dit : « Vous pouvez vous nourrir de gruau grossier, boire de l'eau claire, n'avoir que votre coude pour oreiller, et pourtant connaître la joie. La richesse et les honneurs sans la justice, je ne m'en soucie pas plus que des nuages qui flottent dans le ciel. »

VII.17. Le Maître dit : « Donnez-moi quelques années de plus; à cinquante ans, je me mettrai à l'étude des *Mutations* et ainsi je pourrai éviter toute faute grave. »

VII.18. Le Maître n'employait jamais la prononciation dialectale lorsqu'il lisait les *Poèmes* et les *Documents,* ou lorsqu'il exécutait une cérémonie. Dans ces diverses occasions, il employait toujours la prononciation correcte.

VII.19. Le gouverneur de She interrogea Zilu sur Confucius, mais Zilu ne trouva rien à dire. Le Maître dit à Zilu : « Que ne lui avez-vous répondu : " C'est un homme qui, dans son enthousiasme, en oublie de manger, et dans sa joie oublie les soucis; il ne sent pas l'approche de la vieillesse. " »

VII.20. Le Maître dit : « Je n'ai pas la science infuse. J'aime l'Antiquité et j'ai la passion de m'informer. »

VII.21. Le Maître ne traitait ni des prodiges, ni de la violence, ni du désordre, ni des Esprits.

VII.22. Le Maître dit : « Prenez trois hommes au hasard des rues : ils auront nécessairement quelque chose à m'enseigner. Les qualités de l'un me serviront de modèle, les défauts de l'autre d'avertissement. »

VII.23. Le Maître dit : « Le Ciel m'a investi de sa vertu. Qu'aurais-je à craindre d'un Huan Tui ? »

VII.24. Le Maître dit : « Mes amis, vous croyez que je vous cache quelque chose ? Je ne vous cache rien. Tout ce que je fais, je vous le montre. Je suis comme ça. »

VII.25. Le Maître enseignait au moyen de quatre choses : les textes, l'action, la fidélité et la bonne foi.

VII.26. Le Maître dit : « Des saints, je n'ai jamais eu la chance d'en rencontrer. Ce serait déjà beau si je pouvais rencontrer un honnête homme. »
Le Maître dit : « Des gens parfaits, je n'ai jamais eu la chance d'en rencontrer. Ce serait déjà beau si je pouvais rencontrer un homme de bonne volonté. L'enflure creuse, la prétention vide et l'incompétence pompeuse s'accordent mal avec la bonne volonté. »

VII.27. Le Maître pêchait à la ligne, mais pas au filet. À la chasse, il ne tirait jamais un oiseau qui s'était posé.

VII.28. Le Maître dit : « Peut-être y a-t-il des gens qui savent d'instinct comment agir ; moi pas. Je m'enquiers longuement, puis je choisis la meilleure voie. J'observe beaucoup et je retiens. Faute de science infuse, c'est encore ce qu'il y a de mieux. »

VII.29. Les gens de Huxiang étaient à peu près sourds à tout enseignement. Un jeune garçon du cru obtint cependant une entrevue auprès du Maître. Les disciples en furent perplexes. Le Maître dit : « Laissez-le venir, ne le repoussez pas. Pourquoi tant de sévérité ? Ce garçon s'est purifié pour cette visite, considérons seulement cela, et ne tenons pas compte du reste. »

VII.30. Le Maître dit : « La vertu suprême est-elle vraiment inaccessible ? Je désire la vertu suprême — et la vertu suprême est là. »

vii.31. Chen Sibai demanda si le duc Zhao avait respecté les rites. « Il les a respectés », répondit Confucius.

Confucius s'étant retiré, l'autre invita courtoisement Wuma Shi à s'approcher, et lui demanda : « On dit que l'honnête homme n'est jamais partisan. Mais votre Maître n'est-il pas partisan ? Le duc s'était choisi une épouse à Wu, mais comme elle était du même clan, on lui changea d'abord son patronyme. Et votre Maître appelle ça ˝ respecter les rites ˝ ! »

Wuma Shi rapporta ce propos à Confucius. Celui-ci dit : « J'ai bien de la chance : quand je commets une faute, il y a toujours quelqu'un pour s'en apercevoir ! »

vii.32. Quand le Maître chantait en compagnie, si quelqu'un chantait bien, il lui demandait de recommencer, puis il l'accompagnait.

vii.33. Le Maître dit : « Pour ce qui est du savoir livresque, j'en vaux bien un autre. Pour ce qui est d'agir en homme de bien, je suis encore loin du compte. »

vii.34. Le Maître dit : « Je ne saurais prétendre à la sainteté ni à la vertu. Tout au plus peut-on dire que je m'y applique sans trêve et que j'en enseigne les voies sans me lasser. » Gongxi Chi répondit : « C'est précisément en cela que nous vous trouvons inimitable. »

vii.35. Le Maître tomba gravement malade. Zilu lui demanda la permission d'offrir une prière expiatoire. Le Maître dit : « Cela se fait-il ? — Cela se fait, répondit Zilu, ainsi est-il dit dans l'*Oraison* : ˝ Pour toi, nous offrons cette prière aux Esprits du ciel et à ceux de la terre. ˝ » Le Maître dit : « Oh, si c'est ça que tu veux dire, il y a longtemps que je prie. »

vii.36. Le Maître dit : « Le luxe entraîne l'arrogance, la frugalité entraîne la rusticité. Plutôt être rustaud qu'arrogant. »

VII.37. Le Maître dit : « L'honnête homme est rond et jovial, l homme vulgaire est pointu et lugubre. »

VII.38. Le Maître était amène mais ferme; il en imposait sans écraser; il était grave, mais d'un abord aisé.

# CHAPITRE VIII

VIII.1. Le Maître dit : « On peut dire que la vertu de Taibo était sublime. Il a renoncé au trône à plusieurs reprises sans laisser au peuple l'occasion de chanter ses louanges. »

VIII.2. Le Maître dit : « Une politesse qui n'est pas tempérée par le rituel est fastidieuse; une prudence qui n'est pas tempérée par le rituel est peureuse; une bravoure qui n'est pas tempérée par le rituel est violente; une franchise qui n'est pas tempérée par le rituel est blessante. Que les gens de qualité traitent généreusement leur parentèle, et les gens du commun seront encouragés au bien. Que les gens de qualité ne délaissent pas leurs vieux amis, et les gens du commun ne seront pas inconstants. »

VIII.3. Étant tombé gravement malade, Maître Zeng convoqua ses disciples et leur dit : « Voyez mes pieds! Voyez mes mains! Dans les *Poèmes*, il est dit :

> *Craignez et tremblez,*
> *Comme si vous étiez au bord d'un gouffre,*
> *Comme si vous marchiez sur une glace mince...*

Mais maintenant je sais que je suis arrivé au port. Ah, mes petits enfants! »

VIII.4. Maître Zeng étant tombé gravement malade, le seigneur Mengjing vint le visiter. Maître Zeng dit : « Quand un oiseau va mourir, son chant est poignant; quand un homme va mourir, ses paroles sont sincères. Un gentilhomme qui marche dans la voie droite doit faire attention à trois choses. Son attitude : qu'elle soit exempte d'emportement et d'arrogance. Son expression : qu'elle reflète sa bonne foi. Son langage : qu'il soit exempt de vulgarité et d'erreur. Quant aux détails de la liturgie, il y a des sacristains pour ça. »

VIII.5. Maître Zeng dit : « Être compétent et demander conseil à l'incompétent; savoir beaucoup et consulter celui qui sait peu; faire passer son avoir pour du non-avoir et sa plénitude pour du vide; rester indifférent aux affronts – j'avais autrefois un ami qui s'appliquait à ce genre de discipline. »

VIII.6. Maître Zeng dit : « On peut lui confier la garde d'un petit orphelin, comme on peut lui confier le gouvernement d'un grand État; mis à l'épreuve, il ne bronche pas. Est-ce là un honnête homme? Oui, c'est un honnête homme. »

VIII.7. Maître Zeng dit : « Un clerc doit être robuste et résolu, car sa mission est lourde, et sa route est longue. Sa mission, c'est l'humanité : n'est-elle pas assez lourde? Sa route ne s'achève qu'avec la mort : n'est-elle pas assez longue? »

VIII.8. Le Maître dit : « Les *Poèmes* inspirent, les rites affermissent, la musique parachève. »

VIII.9. Le Maître dit : « On peut dire au peuple ce qu'il doit faire, mais on ne saurait lui en faire comprendre le pourquoi. »

VIII.10. Le Maître dit : « Un homme intrépide se rebelle quand il est exaspéré par la misère. Un homme sans conscience se rebelle quand on le pousse à bout. »

VIII.11. Le Maître dit : « Un homme pourrait avoir toute la splendeur du génie du duc de Zhou, s'il est arrogant ou mesquin, tous ses talents ne lui serviront de rien. »

VIII.12. Le Maître dit : « Un homme qui étudierait trois ans sans penser à faire carrière – voilà qui se rencontre rarement. »

VIII.13. Le Maître dit : « Gardez la foi, aimez l'étude. Suivez la bonne voie jusqu'à la mort. Ne visitez pas des États chancelants, ne résidez pas dans des États en rébellion. Quand le monde est en ordre, montrez-vous; quand le monde est en désordre, cachez-vous. Il est honteux de demeurer pauvre et obscur dans un pays bien gouverné; il est honteux de devenir riche et honoré dans un pays mal gouverné. »

VIII.14. Le Maître dit : « Qui n'occupe pas de position dans le gouvernement, n'en discute pas la politique. »

VIII.15. Le Maître dit : « Quand Maître Zhi dirigeait la musique, quelle immense plénitude dans l'ouverture et dans le chœur final des *Orfraies*! »

VIII.16. Le Maître dit : « Une brusquerie dépourvue de franchise, une ignorance dépourvue de prudence, une naïveté dépourvue de bonne foi – voilà qui passe mon entendement! »

VIII.17. Le Maître dit : « Étudier, c'est comme courir après ce qui nous échappe, tout en craignant de perdre ce qu'on a déjà. »

VIII.18. Le Maître dit : « Sublime grandeur de Shun et de Yu! Ils possédaient le pouvoir suprême sans y être attachés. »

VIII.19. Le Maître dit : « Quel souverain admirable que Yao! Quelle majesté sublime! Toute grandeur n'appartient qu'au Ciel, et seul Yao en a illustré la mesure. Le peuple ne trouvait pas de mots pour chanter sa grâce infinie. Quelle majesté sublime se dégageait de ses œuvres, et quel éclat de ses institutions! »

VIII.20. Avec cinq ministres, Shun gouverna le monde. Le roi Wu a dit qu'il avait lui-même dix ministres. Confucius dit : « Les hommes de talent sont rares, c'est bien le cas de le dire, puisqu'à l'époque de Yao et Shun où ils étaient pourtant les plus nombreux, Shun n'en trouva que cinq. Et le roi Wu n'avait que neuf ministres en fait, car l'un des dix était une femme. Tout en contrôlant les deux tiers du monde, la maison de Zhou demeura cependant vassale de Yin. On peut vraiment dire que la vertu des Zhou était parfaite. »

VIII.21. Le Maître dit : « Chez Yu, je ne trouve aucune faille. Frugal dans son ordinaire, il honorait splendidement les esprits et les dieux. Vêtu de façon grossière, rien n'était trop beau dès qu'il s'agissait d'ornements liturgiques. Sa résidence était modeste, et il appliquait toute son énergie aux travaux d'intérêt public. Chez Yu je ne trouve aucune faille. »

# CHAPITRE IX

ix.1. Le Maître parlait rarement de profit. Il célébrait la volonté céleste et l'humanité.

ix.2. Un homme de Daxiang dit : « Bien sûr, Confucius est un grand homme, mais malgré son vaste savoir, il n'a nul talent particulier. » Ayant appris cela, le Maître dit à ses disciples : « À quoi devrais-je donc m'appliquer? À l'art de conduire les chars? Au tir à l'arc? Bon, va pour les chars. »

ix.3. Le Maître dit : « Selon la tradition, la coiffe liturgique devait être tissée de chanvre, mais de nos jours, pour la commodité, on adopte la soie; bon, là-dessus je me range à l'usage général. Selon la tradition, à l'audience royale, on devait saluer une première fois au pied des degrés. De nos jours on ne salue plus qu'en haut des degrés, ce qui est de l'impudence. Quitte à déroger à l'usage général, je continue à saluer au pied des degrés. »

ix.4. Le Maître rejetait absolument quatre choses : les idées en l'air; les dogmes; l'obstination; le Moi.

ix.5. Le Maître se trouvait en danger à Kuang. Il dit : « Le roi Wen est mort. Maintenant n'est-ce pas moi qui suis investi du dépôt de la civilisation? Si le Ciel avait juré sa perte, pourquoi l'aurait-il confié à un mortel comme moi? Et si le

Ciel a décidé de préserver ce dépôt, qu'ai-je à craindre des gens de Kuang? »

ix.6. Le grand échanson demanda à Zigong : « Si votre Maître est vraiment un saint, comment se fait-il qu'il sache un peu tous les métiers? » Zigong répondit : « C'est par la grâce du Ciel qu'il est un saint. Mais il a aussi divers talents. »
Apprenant cela, le Maître dit : « Le grand échanson me connaît bien! J'ai eu une enfance pauvre, ce qui m'a obligé d'apprendre divers métiers. Et pourtant un honnête homme doit-il être bon à tout faire? Certainement pas. »

ix.7. Lao dit : « Le Maître a dit que son échec dans la vie publique l'avait obligé à cultiver ses divers talents. »

ix.8. Le Maître dit : « Suis-je savant? Non. Un rustaud est venu me poser une question : je ne trouvais vraiment rien à répondre, mais j'ai quand même examiné son affaire sous tous les angles pour tâcher d'en tirer quelque chose. »

ix.9. Le Maître dit : « Le phénix n'est pas apparu, le fleuve Jaune n'a pas livré de message : pour moi, tout est donc fini. »

ix.10. Quand le Maître rencontrait des gens en deuil ou en vêtements de cérémonie, ou quand il rencontrait un aveugle même plus jeune que lui, il se levait et s'effaçait respectueusement.

ix.11. Yan Hui dit en soupirant : « Plus je le contemple, plus ça paraît inaccessible; plus je le creuse, plus ça résiste. Je crois que c'est devant moi, et voilà que c'est derrière! Ah, le Maître a habilement réussi à nous prendre au piège! Il m'a ouvert l'esprit avec les lettres, il m'a discipliné avec les rites. Je voudrais m'arrêter que je ne le pourrais pas. Au moment où je me crois à bout de ressources, le but m'apparaît en pleine lumière; je veux l'atteindre, mais n'en trouve pas l'accès. »

IX.12. Le Maître étant tombé gravement malade, Zilu déguisa les disciples en ces majordomes qu'on emploie dans les funérailles princières. Profitant d'un répit de son mal, le Maître dit : « Zilu, cette comédie a trop longtemps duré ! Qui pourrais-je duper avec mes faux majordomes ? Le Ciel ? Plutôt que de mourir au milieu de majordomes, je préfère mourir dans les bras de mes disciples. Même si on ne me fait pas de funérailles en grande pompe, je ne mourrai quand même pas au bord du chemin ! »

IX.13. Zigong demanda : « Si vous aviez un jade précieux, le rangeriez-vous dans un écrin, ou chercheriez-vous à le vendre pour un bon prix ? – Bien sûr que je le vendrais, répondit le Maître. Je n'attends qu'un acheteur. »

IX.14. Le Maître voulait émigrer chez les Barbares. On lui dit : « Comment pourriez-vous vous accommoder d'une existence sauvage ? » Le Maître répondit : « Là où réside l'honnête homme, il n'y a pas de sauvagerie qui tienne. »

IX.15. Le Maître dit : « C'est seulement après mon retour de Wei à Lu que la musique a été remise en ordre : les pièces de Cour d'une part, les hymnes de l'autre. »

IX.16. Le Maître dit : « Je n'ai jamais eu grand-peine à servir mon prince dans la vie publique, ni à servir mon père et mes aînés à la maison, ni à enterrer pieusement les morts, ni à demeurer sobre. »

IX.17. Le Maître était au bord d'une rivière. Il dit : « Oh, aller ainsi de l'avant, sans trêve, jour et nuit ! »

IX.18. Le Maître dit : « Je n'ai jamais vu quelqu'un qui aimât la vertu autant que le sexe. »

IX.19. Le Maître dit : « C'est comme l'érection d'un monticule : si je m'arrête à l'avant-dernier panier, il reste pour toujours inachevé. C'est comme le comblement d'un fossé :

même si je n'y ai encore vidé qu'un seul panier, il suffit de poursuivre pour progresser. »

IX.20. Le Maître dit : « Il n'y avait que Yan Hui pour écouter attentivement ce qu'on lui disait. »

IX.21. Le Maître dit au sujet de Yan Hui : « Hélas, je l'ai vu progresser, mais je ne l'ai pas vu aboutir. »

IX.22. Le Maître dit : « Il y a des pousses qui ne portent pas de fleur, il y a des fleurs qui ne portent pas de fruit. »

IX.23. Le Maître dit : « Ne prenez pas vos cadets à la légère : qui vous dit en effet qu'un jour ils ne vous égaleront pas? Mais si, vers quarante ou cinquante ans, ils n'ont toujours pas fait parler d'eux, il n'y a plus lieu de les prendre au sérieux. »

IX.24. Le Maître dit : « Comment pourrait-on rejeter une admonestation? L'essentiel serait pourtant d'en tirer les conséquences, et de nous amender. Comment ne pas nous réjouir en entendant des mots d'approbation? L'essentiel serait pourtant d'en comprendre les mobiles. Je n'ai que faire de ces gens qui se réjouissent étourdiment d'être approuvés, ou qui acceptent les admonestations sans s'amender. »

IX.25. Le Maître dit : « Avant toute chose, cultivez la fidélité et la bonne foi. Ne recherchez pas l'amitié de ceux qui ne vous valent pas. Quand vous fautez, n'ayez pas peur de vous corriger. »

IX.26. Le Maître dit : « On peut priver une armée de son général en chef, on ne saurait priver le dernier des hommes de son libre arbitre. »

IX.27. Le Maître dit : « Seul Zilu est capable de se tenir en haillons aux côtés de gens vêtus de fines fourrures, sans en éprouver le moindre embarras :

*Sans jalousie et sans convoitise*
*Comment ne serait-il excellent ?* »

De ce jour, Zilu n'eut plus que ces deux vers à la bouche. Le Maître dit : « Ce n'est pas avec cette seule formule que tu atteindras l'excellence. »

IX.28. Le Maître dit : « Vienne l'hiver, et vous découvrez la verdeur du pin et du cyprès. »

IX.29. Le Maître dit : « Celui qui sait ne doute pas; celui qui est bon n'est pas inquiet; celui qui est brave n'a pas peur. »

IX.30. Le Maître dit : « Il y a des gens avec qui on peut étudier, mais dont on ne saurait partager la Voie. Il y a des gens dont on partage la Voie, mais avec qui on ne saurait collaborer. Il y a des gens avec qui on peut collaborer, mais dont on ne saurait partager le jugement. »

IX.31.     *La fleur de cerisier*
           *Vole et vire.*
           *Ce n'est pas que je ne pense à toi,*
           *Mais tu habites si loin !*

Le Maître dit : « S'il pensait vraiment à elle, il n'y aurait pas de distance qui compte. »

# CHAPITRE X

x.1. Dans son village, Confucius était effacé et avait l'air incapable de s'exprimer.

Dans le Temple des Ancêtres et à la Cour, il était éloquent, encore que circonspect.

x.2. À la Cour, avec les grands officiers de rang subalterne, il était cordial. Avec les grands officiers de rang supérieur, il était déférent. En présence du souverain, il était humble, mais maître de lui.

x.3. Quand le souverain le chargeait d'accueillir un visiteur, sa mine devenait grave, il pressait le pas. Il s'inclinait et saluait à gauche et à droite, les basques de sa tunique dansant au rythme de son mouvement. Il s'avançait avec une célérité ailée. Quand le visiteur s'était retiré, il ne manquait pas d'annoncer : « Le visiteur est parti. »

x.4. Quand il franchissait la porte du duc, il se faufilait comme s'il n'avait pas la place de passer. Il ne stationnait pas au milieu de l'entrée et, au passage, évitait de fouler le seuil. Quand il passait devant le trône, sa mine devenait grave, il pressait le pas, la parole semblait lui manquer.

Quand, soulevant la frange de sa tunique, il montait à la salle d'audience, il se faufilait et retenait son souffle; on eût dit qu'il ne respirait plus.

À la sortie, après avoir descendu la première marche, sa

mine se détendait et il avait l'air joyeux. Au bas des marches, il reprenait sa route avec une célérité ailée.

Ayant regagné sa place il adoptait une contenance humble

x.5. Quand il tenait le sceptre de jade, il se faisait tout petit et paraissait comme écrasé sous son poids. Il l'élevait comme pour un salut, il l'inclinait comme pour une offrande. Sa gravité marquait la crainte, il marchait à petits pas et comme s'il suivait une course rigide.

À la cérémonie de la remise des cadeaux, il avait une mine débonnaire. À l'audience privée, il était jovial.

x.6. Un gentilhomme ne met pas de revers mauves ni violets à sa tunique; pour ses vêtements d'intérieur, il n'emploie ni la couleur rose ni la couleur pourpre. En été, il est légèrement vêtu de toile fine ou fruste qu'il porte au-dessus de son sous vêtement.

Avec une tunique noire, il porte une peau d'agneau; avec une tunique blanche, une peau de daim; avec une tunique jaune, une peau de renard.

Sa fourrure d'intérieur est longue, mais avec la manche droite plus courte.

Sa chemise de nuit lui vient jusqu'aux genoux.

À la maison, il se sert d'épaisses fourrures de renard et de martre.

Sauf quand il est en deuil, il porte toutes ses pendeloques

Tous ses vêtements sont coupés, sauf les robes rituelles.

Aux funérailles, il ne porte ni toque d'agneau ni barrette de soie noire.

Au Nouvel An, il doit se rendre à la Cour en tenue de Cour.

x.7. Durant les périodes d'abstinence, il porte la robe de purification. Celle-ci est en toile.

Durant les périodes d'abstinence, il change son régime et à la maison, il occupe une autre place.

x.8. Même si le riz est fin, il ne se gave pas. Même si la viande est délicate, il ne se gave pas.

Si les mets sont moisis ou rances, si le poisson est gâté et la viande avariée, il n'y touche pas. S'ils ont changé de couleur, il n'y touche pas. S'ils sentent mauvais, il n'y touche pas. S'ils sont mal cuits, il n'y touche pas. S'ils ne sont pas servis à l'heure, il n'y touche pas. S'ils sont mal découpés, il n'y touche pas. Si la sauce n'est pas appropriée, il n'y touche pas.

Même quand la viande est abondante, il ne doit pas manger plus de viande que de riz. Pour le vin, par contre, il n'y a pas de limite, du moment qu'il garde sa tête.

Il ne consomme ni vins de boutique ni charcuteries du marché.

Il ne refuse pas les assaisonnements au gingembre, mais il n'en abuse pas.

x.9. Lors des sacrifices d'État, il ne garde pas la viande jusqu'au lendemain. Quant à la viande des sacrifices ordinaires, il ne la garde pas plus de trois jours. Après trois jours, il n'y touche plus.

x.10. Il ne bavarde pas en mangeant. Il ne parle pas au lit.

x.11. Même s'il n'a que du riz grossier et un brouet de légumes, il récite ses prières avant le repas, et il le fait dévotement.

x.12. Si la natte est de travers, il ne s'assied pas.

x.13. Quand il participe à un banquet au village, il attend pour se retirer que les aînés se soient retirés.

x.14. Quand les gens du village font un exorcisme, il met ses habits de Cour et prend place sur l'estrade orientale.

x.15. Quand il fait prendre des nouvelles de quelqu'un à l'étranger, il se prosterne deux fois au moment d'envoyer le messager.

x.16. Le seigneur Ji Kang lui envoya une médecine. Il se prosterna et l'accepta. Il dit : « N'en connaissant pas les vertus, je n'ose y toucher. »

x.17. L'écurie brûla. Le Maître prit congé de la Cour et demanda : « Y a-t-il eu quelqu'un de blessé ? » Il ne s'informa pas des chevaux.

x.18. Quand le souverain lui faisait présent de nourritures cuites, il rectifiait la position de son siège et les goûtait aussitôt. Quand le souverain lui faisait un présent de nourritures crues, il les cuisait et les offrait aux ancêtres. Quand le souverain lui présentait une tête de bétail, il l'élevait. Quand il était à la table du souverain et que le souverain faisait l'offrande avant le repas, il goûtait d'abord les plats.

x.19. Durant une maladie, le souverain vint le voir. Il fit placer son lit tête à l'est, avec ses vêtements de Cour par-dessus, et le grand cordon en travers.

x.20. Quand le souverain le convoquait, il se mettait aussitôt en route sans attendre qu'on attelât.

x.21. Quand il visitait le Grand Temple, il s'y enquérait de tout.

x.22. Un de ses amis mourut. Il n'y avait personne pour s'occuper des funérailles. Il dit : « Je m'en charge. »

x.23. Quand un ami lui faisait un cadeau, du moment que ce n'était pas de la viande pour le sacrifice aux ancêtres, il ne se prosternait pas, même s'il s'agissait d'une voiture ou de chevaux.

x.24. Au lit, il n'était pas raide comme un cadavre; chez lui, il n'était pas raide comme un visiteur.

x.25. Chaque fois qu'il rencontrait une personne en train d'observer l'abstinence qui suit un décès, même s'il s'agissait de quelqu'un qu'il voyait tous les jours, il était bouleversé. Quand il rencontrait un homme en deuil ou un aveugle, même s'ils étaient d'humble condition, il leur marquait son respect. Il s'inclinait du haut de son char pour quiconque portait une tunique funèbre, ne fût-il qu'un colporteur.

Chaque fois qu'on lui servait un mets rare, son visage marquait de la confusion et il se levait pour remercier.

Un orage soudain, une bourrasque violente affectaient toujours son comportement.

x.26. Pour monter dans son char, il se tenait toujours bien droit et saisissait la main courante. Dans son char, il ne tournait pas la tête, il ne parlait pas avec volubilité, il ne montrait pas du doigt.

x.27. Effrayé, l'oiseau s'envole. Il ne se pose qu'après avoir décrit un cercle.

Le Maître dit : « La faisane sur le pont dans la montagne, comme elle choisit son moment! comme elle choisit son moment! »

Zilu s'inclina respectueusement dans la direction de l'oiseau. Celui-ci battit trois fois des ailes et s'éleva dans les airs.

# CHAPITRE XI

xi.1. Le Maître dit : « Les roturiers doivent commencer par apprendre la liturgie et la musique, tandis que les nobles peuvent en remettre l'étude à plus tard. S'il s'agit de recruter des hommes de talent, je préfère choisir parmi les premiers. »

xi.2. Le Maître dit : « De tous ceux qui partagèrent mes tribulations au pays de Chen et de Cai, il n'en est plus un qui fréquente encore ma maison. »

xi.3. Pour la vertu, il y avait Yan Hui, Min Ziqian, Ran Boniu et Ran Yong. Éloquence : Zai Yu, Zigong. Gouvernement : Ran Qiu, Zilu. Lettres : Ziyou, Zixia.

xi.4. Le Maître dit : « Yan Hui ne m'était d'aucune aide : il approuvait tout ce que je disais. »

xi.5. Le Maître dit : « Ah, ce Min Ziqian, quel bon fils! Nul n'a jamais contesté la bonne opinion qu'avaient de lui ses parents et ses frères. »

xi.6. Nangong Kuo répétait sans cesse les vers :

*Un défaut dans un jade blanc*
*S'efface au polissage;*
*Un mot placé mal à propos*
*Ne peut se reprendre.*

Confucius lui donna sa nièce en mariage.

xi.7. Le seigneur Ji Kang demanda : « Lequel de vos disciples est-il le plus zélé ? » Confucius répondit : « Il y avait Yan Hui qui était zélé. Hélas, il est mort tout jeune, et maintenant il n'y a plus personne de son calibre. »

xi.8. À la mort de Yan Hui, son père Yan Lu demanda au Maître de lui donner son char pour acheter un grand sarcophage. Le Maître dit : « Pour un père, qu'il ait du talent ou non, un fils est un fils. Quand mon fils Li est mort, il n'a eu qu'un petit cercueil et pas de grand sarcophage. Je n'ai pas renoncé à mon char pour lui procurer un grand sarcophage. Dans ma position, immédiatement après les grands chambellans, il ne serait pas décent que j'aille à pied. »

xi.9. À la mort de Yan Hui, le Maître dit : « Hélas, le Ciel m'anéantit, le Ciel m'anéantit ! »

xi.10. À la mort de Yan Hui, le Maître pleura avec une violence qui passait les bornes. Les gens de son entourage dirent : « Maître, c'est excessif ! » Il répondit : « Est-ce vraiment excessif ? S'il y a jamais eu un homme qui méritât d'être pleuré, c'était bien celui-là ! »

xi.11. À la mort de Yan Hui, les disciples voulurent lui faire de grandes funérailles. Le Maître dit : « C'est inconvenant. »
Les disciples lui firent quand même de grandes funérailles. Le Maître leur dit : « Yan Hui me considérait comme un père, mais je n'ai pu le traiter comme un fils. Ce n'est pas ma faute, mais la vôtre. »

xi.12. Zilu demanda comment servir les esprits et les dieux. Le Maître dit : « Vous ne savez pas encore servir les hommes, comment voudriez-vous servir les esprits ? » L'autre demanda : « Puis-je vous interroger sur la mort ? » Le Maître dit : « Vous ne comprenez pas encore la vie, comment voudriez-vous comprendre la mort? »

XI.13. Quand Min Ziqian se tenait aux côtés du Maître, il avait l'air respectueux; Zilu avait l'air ardent; Ran Qiu et Zigong, l'air affable. Le Maître était content.

XI.13bis. Le Maître dit : « Un homme comme Zilu ne saurait mourir de mort naturelle. »

XI.14. Les gens du pays de Lu reconstruisaient le Long Entrepôt. Min Ziqian dit : « Pourquoi ne pas suivre l'ancien plan? À quoi bon le modifier? » Le Maître dit : « Cet homme ne parle guère, mais quand il place un mot, c'est dans le mille. »

XI.15. Le Maître dit : « Que fait la cithare de Zilu dans ma maison? » Du coup, les disciples traitèrent Zilu par-dessous la jambe.
Le Maître dit : « Zilu est bien monté jusqu'au porche, mais il n'a pas encore pénétré dans la chambre intérieure. »

XI.16. Zigong demanda : « Qui est le meilleur : Zizhang ou Zixia? » Le Maître dit : « Zizhang en fait trop, et Zixia pas assez. » L'autre reprit : « C'est donc Zizhang le meilleur? » Le Maître dit : « Un excès n'est pas préférable à un manque. »

XI.17. Le chef du clan Ji était plus riche qu'un roi, et Ran Qiu continuait à pressurer les paysans pour encore accroître sa fortune. Le Maître dit : « Cet individu n'est pas mon disciple. Mes enfants, battez le tambour et attaquez-le, vous avez ma permission. »

XI.18. Zigao était bête; Zeng Shen était lent; Zizhang manquait de mesure; Zilu était brutal.

XI.19. Le Maître dit : « Yan Hui approchait de la perfection, et pourtant il fut plusieurs fois dans la misère. Zigong n'a pas accepté son sort; il s'est lancé dans les affaires, où il fait souvent montre d'un flair très sûr. »

XI.20. Zizhang interrogea le Maître sur la voie-de-l'homme-bon. Le Maître dit : « Ce n'est pas une ornière, mais ça ne mène pas jusqu'à la chambre intérieure. »

XI.21. Le Maître dit : « Son discours est honnête, d'accord; mais est-il lui-même honnête homme, ou est-ce seulement une pose? »

XI.22. Zilu demanda : « Dois-je mettre aussitôt en pratique ce que je viens d'apprendre? » Le Maître dit : « Votre père et votre frère aîné sont encore en vie; comment pourriez-vous mettre aussitôt en pratique ce que vous venez d'apprendre? »
Ran Qiu demanda : « Dois-je mettre aussitôt en pratique ce que je viens d'apprendre? » Le Maître dit : « Mettez-le aussitôt en pratique. »
Gongxi Chi demanda : « Quand Zilu vous a demandé s'il devait mettre aussitôt en pratique ce qu'il venait d'apprendre, vous lui avez dit de consulter d'abord son père et son frère aîné. Mais quand Ran Qiu vous a demandé s'il devait mettre aussitôt en pratique ce qu'il venait d'apprendre, vous lui avez dit : " Mettez-le aussitôt en pratique. " Ça me rend perplexe. Pourriez-vous m'expliquer? » Le Maître dit : « Ran Qiu traîne la jambe, donc je le pousse. Zilu met les bouchées doubles, donc je le freine. »

XI.23. Le Maître était en danger à Kuang. Yan Hui réussit finalement à le rejoindre. Le Maître dit : « Je vous croyais mort. » L'autre répondit : « Vous vivant, comment oserais-je mourir? »

XI.24. Ji Ziran demanda : « Peut-on dire que Zilu et Ran Qiu soient de grands hommes d'État? » Le Maître dit : « Je croyais que vous alliez me poser une question originale, et voilà que vous m'interrogez seulement au sujet de Zilu et de Ran Qiu! Ce qu'on appelle un grand homme d'État, c'est un homme qui sert son souverain au nom de la vérité, et qui se retire sitôt qu'il ne peut plus concilier les deux. En ce qui concerne Zilu et Ran Qiu, ils pourraient simplement faire l'affaire pour suppléer à une vacance dans le gouvernement. » L'autre reprit : « Voulez-vous dire dans ce cas qu'ils exécuteraient docilement n'importe quel ordre? » Le Maître dit : « Non, ils n'iraient sans doute pas jusqu'à assassiner leur père ou leur souverain. »

XI.25. Zilu fit nommer Zigao intendant de Bi. Le Maître dit : « C'est jouer un mauvais tour à ce garçon. » Zilu dit : « Il pourra s'occuper là des paysans, de leurs fêtes et de leurs moissons. Après tout, le savoir ne se réduit pas à ce qu'on trouve dans les livres. » Le Maître dit : « Ce sont de tels propos qui me font détester les beaux esprits de votre espèce. »

XI.26. Zilu, Zeng Dian, Ran Qiu et Gongxi Chi étaient assis autour de Confucius. Le Maître dit : « Oubliez un instant que je suis votre aîné. Vous avez souvent le sentiment que le monde ne reconnaît pas vos mérites, mais si vous aviez l'occasion de déployer vos talents, que souhaiteriez-vous faire? » Zilu répondit d'un élan : « Donnez-moi un État pas trop petit, mais coincé entre des voisins puissants, envahi par des armées ennemies et ravagé par la famine; je prendrais le pouvoir, et en trois ans, je ranimerais le moral de la population et je remettrais le pays sur ses pieds! »

Le Maître sourit. « Et toi, Ran Qiu? »

L'autre répondit : « Donnez-moi un domaine de soixante ou soixante-dix lieues, ou disons plutôt, de cinquante ou soixante lieues. Je prendrais les choses en main, et en trois ans j'assurerais la prospérité des habitants. Mais pour ce qui est de leur développement spirituel, là bien sûr il faudrait attendre l'intervention d'un vrai sage.

– Gongxi Chi, et toi? »

L'autre répondit : « Je ne dis pas que j'en serais capable, mais je souhaiterais essayer ceci : dans les cérémonies du temple ancestral, à l'occasion d'une rencontre diplomatique par exemple, portant chasuble et barrette, j'aimerais pouvoir jouer le rôle d'un modeste acolyte.

« — Et toi, Dian? »

Zeng Dian, qui avait continué tout ce temps-là à jouer de la cithare en sourdine, pinça une dernière note, et déposa son instrument. Il se redressa et dit : « Après ces beaux discours, je crains que mon choix ne paraisse incongru. » Le Maître dit : « Qu'à cela ne tienne! Il s'agit simplement pour chacun de confier les souhaits de son cœur. » L'autre reprit : « Vers la fin du printemps, en tunique légère, j'aimerais aller me baigner dans la rivière Yi avec cinq ou six compagnons et six ou sept jeunes garçons; ensuite on irait humer la brise sur la terrasse des Danses de la Pluie, puis on rentrerait tous ensemble en chantant. »

Le Maître poussa un long soupir et dit : « Ah, comme je te comprends! »

Les trois premiers disciples prirent congé; Zeng Dian s'attarda. Il demanda : « Que pensez-vous de leurs souhaits à tous trois? » Le Maître dit : « Chacun a simplement parlé selon son cœur. » L'autre reprit : « Maître, pourquoi avez-vous souri aux paroles de Zilu? — On gouverne un pays par les rites. Il tient un langage de fier-à-bras; c'est pourquoi j'ai souri. — Quant à Ran Qiu, ce qu'il avait en tête, en fait, n'était-ce pas un véritable État? — Bien sûr : où aurait-on jamais vu un territoire de soixante ou soixante-dix lieues, voire de cinquante ou soixante lieues, qui ne fût un véritable État? — Et Gongxi Chi, ne rêvait-il pas d'un gouvernement lui aussi? — Une rencontre diplomatique dans un temple ancestral : de quoi pourrait-il s'agir, sinon d'une affaire d'État? Et si Gongxi Chi ne devait y remplir qu'une fonction d'acolyte, qui donc pourrait y jouer le premier rôle? »

# CHAPITRE XII

XII.1. Yan Hui interrogea Confucius sur la vertu suprême. Le Maître dit : « Pour pratiquer la vertu suprême, il faut se dominer et rétablir les rites. Qui pourrait un jour se dominer et rétablir les rites verrait le monde entier s'incliner devant sa vertu suprême. Pour pratiquer la vertu suprême, sur qui s'appuyer, sinon sur soi-même? »

Yan Hui dit : « Pourriez-vous m'indiquer une méthode pratique? » Le Maître dit : « Ne regardez rien de contraire aux rites; n'écoutez rien de contraire aux rites; ne dites rien de contraire aux rites; ne faites rien de contraire aux rites. » Yan Hui dit : « Bien que je ne sois pas doué, je vais tâcher de faire comme vous dites. »

XII.2. Ran Yong interrogea Confucius sur la vertu suprême. Le Maître dit : « En public, comportez-vous comme si vous étiez devant un visiteur important. Dirigez le peuple comme si vous célébriez une grande cérémonie. N'imposez pas aux gens ce dont vous ne voudriez pas pour vous-même. En politique, pas de rancœur; en privé, pas de rancœur. » Ran Yong dit : « Bien que je ne sois pas doué, je vais tâcher de faire comme vous dites. »

XII.3. Sima Niu interrogea Confucius sur la vertu suprême. Le Maître dit : « Qui est animé de la vertu suprême hésite à parler. » L'autre dit : « Hésite à parler? Et c'est ça qu'on appelle

la vertu suprême? » Le Maître dit : « Ce qu'on pratique difficilement, comment en parlerait-on facilement? »

XII.4. Sima Niu demanda à Confucius ce qu'est un honnête
homme. Le Maître dit : « Un honnête homme est sans inquiétude et sans peur. » L'autre dit : « Sans inquiétude et sans peur?
Et c'est ça qu'on appelle un honnête homme? » Le Maître dit :
« Il ne trouve en soi nulle infirmité; qu'est-ce qui pourrait lui
causer inquiétude ou peur? »

XII.5. Sima Niu se lamentait : « Tout le monde a des frères,
sauf moi. » Zixia dit : « J'ai entendu ceci : vie et mort sont
fixées par le destin, richesses et honneurs dépendent du Ciel.
Que l'honnête homme fasse son devoir gravement et sans faillir,
qu'il traite autrui avec respect et civilité, et sur cette Terre,
tous les hommes seront ses frères. Comment un honnête homme
pourrait-il jamais se plaindre de n'avoir pas de frères? »

XII.6. Zizhang interrogea Confucius sur la lucidité. Le Maître
dit : « Celui qui, saturé de calomnies et abasourdi d'accusations,
ne se laisse pourtant pas influencer, celui-là est lucide. Celui
qui, saturé de calomnies et abasourdi d'accusations, ne se laisse
pourtant pas influencer, celui-là voit les choses de haut. »

XII.7. Zigong interrogea Confucius sur l'art de gouverner.
Le Maître dit : « Des vivres en suffisance. Des armes en suffisance. Un peuple qui a la foi. » Zigong dit : « S'il fallait
renoncer à une de ces trois choses, laquelle sacrifieriez-vous? –
Les armes. » L'autre reprit : « S'il fallait renoncer à une des
deux choses qui restent, laquelle sacrifieriez-vous? – Les vivres.
La mort est depuis toujours dans l'ordre des choses; mais un
peuple sans foi ne saurait se tenir debout. »

XII.8. Ji Zicheng dit : « On est honnête homme par nature;
à quoi bon la culture? » Zigong dit : « Monsieur, voilà un mot
regrettable; ce qui est dit est dit : un attelage de quatre chevaux
ne saurait le rattraper. La culture tient à la nature, la nature
tient à la culture, comme sa bigarrure tient au tigre. Arrachez

ses poils à la peau d'un tigre ou d'un léopard, et il ne vous reste que la peau d'un chien ou d'un mouton. »

XII.9. Le duc Ai demanda à You Ruo : « Les récoltes sont mauvaises. Je suis à court de ressources. Que faire? » You Ruo répondit : « Pourquoi ne pas prélever la dîme? » L'autre dit : « Même si je prélevais le double, je serais encore à court. Comment la dîme pourrait-elle me tirer d'affaire? » L'autre dit : « Si les gens ont en suffisance, comment le souverain pourrait-il être à court? Si les gens sont à court, comment le souverain pourrait-il avoir en suffisance? »

XII.10. Zizhang demanda comment « exalter la vertu » et comment « identifier la confusion ». Le Maître dit : « Exalter la vertu, c'est mettre la fidélité et la bonne foi au-dessus de tout, et chercher la justice. Quant à la confusion : quand on aime quelqu'un, on lui souhaite de vivre, quand on hait quelqu'un, on souhaite sa mort; mais imaginez qu'on lui souhaite tout à la fois de vivre et de mourir : voilà un cas de " confusion ". »

> Si ce n'est pas pour sa richesse,
> Alors c'est seulement pour le plaisir de changer.

XII.11. Le duc Jing de Qi interrogea Confucius sur l'art de gouverner. Confucius répondit : « Que le souverain soit un souverain; le sujet, un sujet; le père, un père; le fils, un fils. » Le duc dit : « Excellent! Si le souverain n'était pas un souverain; le sujet, pas un sujet; le père, pas un père; le fils, pas un fils — comment pourrais-je être sûr de rien? »

XII.12. Le Maître dit : « S'il est quelqu'un qui pourrait trancher un procès en n'entendant qu'une des deux parties, c'est bien Zilu! »
Zilu ne dormait jamais sur une promesse.

XII.13. Le Maître dit : « Pour trancher des litiges, j'en vaux bien un autre. Ce qu'il faudrait, c'est qu'il n'y ait point de litiges. »

XII.14. Zizhang interrogea Confucius sur l'art de gouverner : Le Maître dit : « Dans votre charge, soyez infatigable et expédiez les affaires fidèlement. »

XII.15. Le Maître dit : « Avec les lettres pour s'ouvrir l'esprit et les rites pour se discipliner, on ne saurait s'écarter du droit chemin. »

XII.16. Le Maître dit : « L'honnête homme développe ce qu'il y a de beau chez les gens, il ne développe pas ce qu'ils ont de mauvais. L'homme vulgaire fait le contraire. »

XII.17. Le seigneur Ji Kang interrogea Confucius sur l'art de gouverner. Le Maître répondit : « Gouvernement est synonyme de droiture. Si vous menez droit, qui osera ne pas marcher droit? »

XII.18. Le seigneur Ji Kang s'était fait voler. Il demanda conseil à Confucius. Confucius répondit : « Monsieur, si vous étiez sans convoitise, vous payeriez les gens, qu'ils ne vous voleraient pas. »

XII.19. Le seigneur Ji Kang interrogeait Confucius sur l'art de gouverner; il lui demanda : « Si je tuais les méchants pour aider les bons, qu'en diriez-vous? » Confucius répondit : « Pour gouverner avez-vous besoin de tuer? Cherchez le bien, et le peuple sera bon. La vertu du gentilhomme est vent, la vertu du vulgaire est herbe : quand le vent lui passe dessus, l'herbe doit se coucher. »

XII.20. Zizhang demanda : « Que doit faire un gentilhomme pour être accompli? » Le Maître dit : « Qu'est-ce que vous entendez par ˝ être accompli ˝? » Zizhang répondit : « Devenir célèbre dans son pays, devenir célèbre dans son clan. » Le Maître dit : « Ça, c'est devenir célèbre, ce n'est pas être accompli. Pour devenir accompli, il faut être taillé d'une fibre droite, et aimer la justice; il faut savoir examiner les paroles des gens et observer leur contenance; il faut songer à s'effacer devant les autres.

Ainsi on deviendra certainement un homme accompli dans son pays, et on deviendra certainement un homme accompli dans son clan. Pour ce qui est de la célébrité, si on adopte des airs de vertu tout en agissant à rebours, et si on montre une imperturbable assurance, on pourra certainement devenir célèbre dans son pays et on pourra certainement devenir célèbre dans son clan. »

XII.21. Fan Chi se promenait avec Confucius devant la terrasse des Danses de la Pluie. Il dit : « Puis-je vous demander comment " exalter la vertu ", " extirper les racines secrètes du mal " et " identifier la confusion " ? » Le Maître dit : « Excellente question! Placer l'effort avant la récompense, n'est-ce pas " exalter la vertu "? Attaquer le mal en nous et ne pas attaquer le mal chez autrui, n'est-ce pas " extirper les racines secrètes du mal "? Dans un moment de colère, risquer sa vie, voire celle de ses parents, n'est-ce pas un exemple de " confusion "? »

XII.22. Fan Chi demanda en quoi consiste la vertu suprême. Le Maître dit : « Aimer les autres. » Il demanda en quoi consiste la connaissance. Le Maître dit : « Connaître les autres. » Fan Chi ne saisit pas. Le Maître dit : « Choisissez ceux qui sont droits, placez-les au-dessus de ceux qui sont tors, de manière que les tors deviennent droits. »

Fan Chi se retira. Apercevant Zixia, il lui dit : « Je viens d'avoir un entretien avec le Maître, et je lui ai demandé en quoi consiste la connaissance. Le Maître a dit : " Choisissez ceux qui sont droits, placez-les au-dessus de ceux qui sont tors, de manière que les tors deviennent droits. " Qu'est-ce que ça veut dire? » Zixia dit : « Ô riches paroles! Quand Shun régnait sur le monde, il choisit parmi la multitude et prit Gao Yao pour ministre, et tous les méchants s'éloignèrent. Quand Tang régnait sur le monde, il choisit parmi la multitude et prit Yi Yin pour ministre, et tous les méchants s'éloignèrent. »

XII.23. Zigong interrogea Confucius sur l'amitié. Le Maître dit : « Conseillez loyalement vos amis et guidez-les avec tact.

Si ça ne réussit pas, n'insistez pas : ne vous exposez pas à une rebuffade. »

XII.24. Maître Zeng dit : « Avec sa culture, l'honnête homme rassemble des amis; avec ses amis, il se perfectionne dans la vertu suprême. »

# CHAPITRE XIII

XIII.1. Zilu interrogea Confucius sur l'art de gouverner. Le Maître dit : « Donnez-leur l'exemple, encouragez-les. » Zilu lui demanda de développer. Il dit : « Sans relâche. »

XIII.2. Ran Yong était intendant du clan Ji. Il interrogea Confucius sur l'art de gouverner. Le Maître dit : « Donnez des responsabilités à vos subordonnés. Pardonnez les vétilles. Promouvez les hommes de talent. » L'autre dit : « Comment reconnaître les hommes de talent, de façon à les promouvoir ? » Le Maître dit : « Promouvez ceux que vous connaissez. Quant à ceux que vous ne connaissez pas, d'autres finiront bien par les remarquer. »

XIII.3. Zilu dit : « Si le souverain de Wei vous invitait et vous confiait le gouvernement, que feriez-vous en premier lieu ? » Le Maître dit : « Rectifier les noms, pour sûr ! » Zilu dit : « Vraiment ? Vous allez chercher loin ! Les rectifier pour quoi faire ? » Le Maître dit : « Zilu, vous n'êtes qu'un rustre ! Un honnête homme ne se prononce jamais sur ce qu'il ignore. Quand les noms ne sont pas corrects, le langage est sans objet. Quand le langage est sans objet, les affaires ne peuvent être menées à bien. Quand les affaires ne peuvent être menées à bien, les rites et la musique dépérissent. Quand les rites et la musique dépérissent, les peines et les châtiments manquent leur but. Quand les peines et les châtiments manquent leur but, le peuple ne sait plus sur quel pied danser. Pour cette raison, tout ce que l'honnête homme conçoit, il doit pouvoir le dire, et ce qu'il dit, il doit pouvoir le faire. En ce qui concerne son langage, l'honnête homme ne laisse rien au hasard. »

XIII.4. Fan Chi demanda à Confucius de lui enseigner l'agronomie. Le Maître dit : « Adressez-vous plutôt à un vieux paysan. » Il lui demanda de lui enseigner le jardinage. Le Maître dit : « Adressez-vous plutôt à un vieux jardinier. »

Fan Chi se retira. Le Maître dit : « Ce Fan Chi est vraiment un homme vulgaire! Quand ses maîtres cultivent les rites, le peuple n'ose pas ne pas être respectueux. Quand ses maîtres cultivent la justice, le peuple n'ose pas ne pas obéir. Quand ses maîtres cultivent la bonne foi, le peuple n'ose pas ne pas dire la vérité. Vers de tels maîtres, les gens affluent de toutes parts en portant leurs gosses sur le dos. À quoi bon l'agronomie? »

XIII.5. Le Maître dit : « Imaginez un homme qui saurait réciter les trois cents *Poèmes*; on lui confie un gouvernement, mais il n'est pas à la hauteur; on l'envoie en ambassade aux quatre coins du monde, mais il se montre incapable de donner la réplique. Que lui sert tout son savoir? »

XIII.6. Le Maître dit : « Il est droit : tout marche sans qu'il doive rien commander. Il n'est pas droit : il a beau commander, nul ne le suit. »

XIII.7. Le Maître dit : « En politique, le pays de Lu et le pays de Wei sont frères. »

XIII.8. Le Maître disait du seigneur Jing de Wei : « Il gère admirablement sa maisonnée. Quand il commença à avoir un peu de bien, il dit : " C'est presque assez. " Sa fortune ayant un peu augmenté, il dit : " C'est presque complet. " Devenu riche, il dit : " C'est presque magnifique. " »

XIII.9. Le Maître se rendit au pays de Wei; Ran Qiu conduisait son char. Le Maître dit : « Quelle population nombreuse! »

Ran Qiu dit : « Une fois que les gens sont nombreux, que reste-t-il encore à faire ? » Le Maître dit : « Enrichissez-les. » L'autre dit : « Et une fois qu'ils sont riches, que reste-t-il encore à faire ? – Éduquez-les. »

XIII.10. Le Maître dit : « Si seulement il se trouvait un souverain pour m'employer, en un an je mettrais les choses en route, et trois ans après, on aurait des résultats. »

XIII.11. Le Maître dit : « *Quand des hommes bons ont gouverné pendant cent ans, il devient possible d'extirper la cruauté et d'éliminer le meurtre.* Comme ces paroles sont vraies ! »

XIII.12. Le Maître dit : « Même avec un vrai roi, il faut une génération avant que ne s'impose la vertu suprême. »

XIII.13. Le Maître dit : « Qui observe la rectitude, quel mal aurait-il à gouverner ? Qui ne sait se gouverner soi-même, comment pourrait-il gouverner les autres ? »

XIII.14. Ran Qiu revenait de la Cour. Le Maître dit : « Qu'est-ce qui vous a retenu si tard ? » L'autre répondit : « Les affaires du gouvernement. » Le Maître dit : « Vous voulez dire : des affaires de famille. S'il s'agissait des affaires du gouvernement, bien que je sois sans position officielle, j'en aurais entendu parler. »

XIII.15. Le duc Ding demanda : « Existe-t-il une maxime qui, à elle seule, pourrait assurer la prospérité de l'État ? » Confucius répondit : « Aucune maxime ne saurait vraiment produire un tel effet. Pourtant il y a bien ce dicton : *Il est difficile d'être un souverain et il n'est pas facile d'être un sujet.* Si cette maxime permettait au souverain de comprendre toute la difficulté de son rôle, on pourrait presque dire qu'à elle seule, elle suffirait à assurer la prospérité de l'État. » L'autre dit : « Existe-t-il une maxime qui pourrait à elle seule détruire l'État ? » Confucius répondit : « Aucune maxime ne saurait vraiment produire un tel effet. Toutefois il y a bien ce dicton :

*Tout le plaisir d'être roi, c'est de n'être jamais contredit.* N'être pas contredit quand on est dans le bon, c'est tant mieux; mais si on se trompe, et qu'il n'y ait pas de contradicteurs, c'est alors qu'on pourrait presque dire qu'une seule maxime suffirait à détruire l'État. »

XIII.16. Le gouverneur de She interrogea Confucius sur l'art de gouverner. Le Maître dit : « La population locale est contente; les populations voisines affluent. »

XIII.17. Zixia était intendant à Jufu. Il interrogea Confucius sur l'art de gouverner. Le Maître dit : « Ne cherchez pas à hâter les choses. Ne poursuivez pas de petits avantages. En cherchant à hâter les choses, on manque le but, et la poursuite des petits avantages fait avorter les grandes entreprises. »

XIII.18. Le gouverneur de She discourait devant Confucius, disant : « Chez nous, il y a un homme d'une droiture inflexible : son père avait volé un mouton, et il le dénonça. » Confucius répondit : « Chez nous, on a une autre conception de la droiture : le père protège son fils, le fils protège son père – voilà notre façon d'être droits. »

XIII.19. Fan Chi interrogea le Maître sur la vertu suprême. Le Maître dit : « Être digne dans la vie privée; diligent dans la vie publique; loyal dans les relations humaines. Ne pas se départir de cette attitude, même parmi les Barbares. »

XIII.20. Zigong demanda : « Que faut-il faire pour mériter le nom de gentilhomme? » Le Maître dit : « Qui se comporte avec honneur, et, en mission aux quatre coins du monde, ne fait pas honte à son prince, celui-là mérite le nom de gentilhomme.
– Et ensuite? »
Le Maître dit : « Les gens de son clan l'appellent bon fils les gens de son village l'appellent bon frère.
– Et ensuite? »
Le Maître dit : « Qui tient toujours parole et achève tout ce

qu'il entreprend. Si c'est par simple obstination, il n'est qu'un homme vulgaire, mais peut-être mérite-t-il quand même d'occuper le troisième rang. »

L'autre dit : « Que pensez-vous de ceux qui nous gouvernent aujourd'hui ? » Le Maître dit : « Pouah! Ces avortons n'entrent même pas en ligne de compte! »

XIII.21. Le Maître dit : « À défaut de tenants du milieu juste, il faut bien se rabattre sur les impétueux et les timides Au moins les impétueux ont de l'élan, et les timides de la réserve. »

XIII.22. Le Maître dit : « Les Méridionaux ont un dicton : " Un homme sans constance n'est même pas propre à faire un rebouteux. " C'est bien dit. »

Dans les *Mutations,* il est dit : « Sans constance dans la vertu, un homme s'expose au déshonneur. » Le Maître commenta : « Ce n'est même pas la peine de tirer son horoscope. »

XIII.23. Le Maître dit : « L'honnête homme cultive l'harmonie, mais pas la conformité. L'homme de peu cultive la conformité, mais pas l'harmonie. »

XIII.24. Zigong demanda : « Tous ses voisins l'aiment. Qu'en pensez-vous ? » Le Maître dit : « Ça ne veut encore rien dire. – Tous ses voisins le détestent. Qu'en pensez-vous ? » Le Maître dit : « Ça ne veut encore rien dire. Il vaudrait mieux que tous ses bons voisins l'aiment, et que les mauvais le détestent. »

XIII.25. Le Maître dit : « Il est facile de servir un honnête homme, mais difficile de lui plaire. Tâchez de lui plaire par des moyens immoraux : ça ne lui plaira pas. Mais il n'exige que ce que vous pouvez donner. Il est difficile de servir un homme vulgaire, mais facile de lui plaire. Tâchez de lui plaire, même par des moyens immoraux : ça lui plaira. Mais ses exigences sont infinies. »

xiii.26. Le Maître dit : « L'honnête homme a de l'autorité, mais pas d'arrogance. L'homme vulgaire a de l'arrogance, mais pas d'autorité. »

xiii.27. Le Maître dit : « Fermeté, décision, simplicité et réflexion sont proches de la vertu suprême. »

xiii.28. Zilu demanda : « Que faut-il faire pour mériter le nom de gentilhomme? » Le Maître dit : « Qui fait montre de rigueur attentive et d'affabilité mérite le nom de gentilhomme. Rigueur attentive pour ses amis, et affabilité pour ses frères. »

xiii.29. Le Maître dit : « Quand un bon souverain a instruit son peuple pendant sept ans, il peut prendre les armes. »

xiii.30. Le Maître dit : « Envoyer à la guerre un peuple qu'on n'a pas instruit, c'est l'envoyer à sa perte. »

# CHAPITRE XIV

XIV.1. Yuan Xian demanda ce qu'est la honte. Le Maître dit : « Quand le gouvernement a des principes, servez-le. Servir un gouvernement sans principes, voilà qui est une honte.

— Qui s'est libéré de l'ambition, de la vantardise, de la rancune et du désir, ne peut-on pas dire qu'il pratique la vertu suprême ? » Le Maître dit : « On peut dire qu'il pratique quelque chose d'ardu. Est-ce la vertu suprême ? Je n'en sais rien. »

XIV.2. Le Maître dit : « Un clerc qui tient à ses aises n'est pas digne du nom de clerc. »

XIV.3. Le Maître dit : « Quand le gouvernement a des principes, parlez droit et agissez droit. Quand le gouvernement est sans principes, agissez droit, mais parlez prudemment. »

XIV.4. Le Maître dit : « Le vertueux est nécessairement éloquent ; l'éloquent n'est pas nécessairement vertueux. Le bon est nécessairement brave ; le brave n'est pas nécessairement bon. »

XIV.5. Nangong Kuo consultait Confucius. Il dit : « Yi était bon archer, et Ao bon marin. Ni l'un ni l'autre ne sont morts de mort naturelle. Yu et Ji ont poussé la charrue : ils ont hérité la Terre. » Le Maître ne dit rien. Nangong Kuo se retira. Le Maître dit : « Voilà un honnête homme ! Celui-là apprécie la vertu ! »

xiv.6. Le Maître dit : « Un gentilhomme qui ne possède pas la vertu suprême, cela se rencontre encore. Il ne s'est jamais vu qu'un homme vulgaire possédât la vertu suprême. »

xiv.7. Le Maître dit : « Peut-on ménager qui l'on aime? La loyauté peut-elle épargner les conseils? »

xiv.8. Le Maître dit : « Quand il y avait un édit à promulguer, Pi Chen en rédigeait le brouillon, Shi Shu le révisait, le chef du Protocole Ziyu le polissait, et Zichan de Dongli y mettait la couleur. »

xiv.9. Quelqu'un interrogea le Maître au sujet de Zichan. Le Maître dit : « Il avait bon cœur. – Et Zixi? – Ne m'en parlez pas! – Et Guan Zhong? – Celui-là, c'était un homme! À Pian, il enleva trois cents familles au chef du clan Bo. Ce dernier, bien que réduit à la portion congrue, n'eut jusqu'à son dernier jour pas un mot de ressentiment à son égard. »

xiv.10. Le Maître dit : « Pour un pauvre il est difficile d'être sans amertume. Pour un riche il est facile d'être sans arrogance. »

xiv.11. Le Maître dit : « Meng Gongchuo a trop de talent pour être intendant d'une grande famille, et pas assez pour être ministre d'un petit État. »

xiv.12. Zilu demanda au Maître de définir l'homme accompli. Le Maître dit : « Qui aurait le savoir de Zang Wuzhong, le détachement de Gongchuo, la bravoure de Zhuangzi de Bian, la compétence de Ran Qiu, et saurait couronner tout cela avec les rites et la musique, celui-là pourrait être considéré comme un homme accompli. » Il ajouta : « Aujourd'hui toutefois, on n'en demande sans doute pas tant. Celui à qui la vue d'un avantage ne fait pas oublier la justice, qui risque sa vie au milieu des périls, et tient parole malgré les tribulations, celui-là aussi peut être considéré comme un homme accompli. »

xiv.13. Le Maître interrogea Gongming Jia au sujet de Gongshu Wenzi : « Est-il vrai que votre Maître ne parlait jamais, ne riait jamais et n'acceptait rien ? » Gongming Jia répondit : « Ceux qui disent cela exagèrent. Mon maître ne parlait qu'à bon escient ; aussi nul ne trouvait qu'il parlait trop. Il ne riait que quand il était joyeux ; aussi nul ne trouvait qu'il riait trop. Il n'acceptait que ce qui lui était dû ; aussi nul ne trouvait qu'il acceptait trop. » Le Maître dit : « Vraiment ! En était-il vraiment ainsi ? »

xiv.14. Le Maître dit : « Zang Wuzhong occupa Fang et demanda au duc de Lu d'en faire un fief héréditaire. Certains prétendent qu'il n'exerça aucune pression sur le souverain, mais je n'en crois rien. »

xiv.15. Le Maître dit : « Le duc Wen de Jin était subtil mais pas honnête, le duc Huan de Qi était honnête mais pas subtil. »

xiv.16. Zilu dit : « Quand le duc Huan tua le prince Jiu, un des deux précepteurs de ce dernier, Shao Hu, le suivit dans la mort, mais l'autre, Guan Zhong, se rallia au vainqueur. Dirons-nous que Guan Zhong a manqué de vertu ? » Le Maître dit : « Si, par neuf fois, le duc Huan réussit à unir les grands vassaux, ce ne fut pas avec des lances et des chars, mais par la seule force de Guan Zhong. Voilà sa vertu, voilà sa vertu ! »

xiv.17. Zigong dit : « Guan Zhong n'était-il pas un homme sans principes ? Quand le duc Huan tua le prince Jiu, non seulement il ne suivit pas ce dernier dans la mort, mais il devint ministre de l'assassin. » Le Maître dit : « En étant ministre du duc Huan, Guan Zhong assura l'hégémonie du duc sur tous les grands vassaux et imposa au monde entier un ordre dont le peuple bénéficie aujourd'hui encore. Sans Guan Zhong nous ne serions que des Barbares hirsutes qui agrafent leur tunique du mauvais côté. Et vous auriez voulu que, comme le premier désespéré venu, il se fût allé pendre au bord d'un obscur fossé ? »

xiv.18. Zhuan, intendant de Gongshu Wenzi fut, grâce à son maître, promu en même temps que celui-ci au poste de ministre. Apprenant cela, Confucius dit : « Gongshu a bien mérité son surnom posthume de " Civilisé ". »

xiv.19. Le Maître dit que le duc Ling de Wei était dénué de principes. Le seigneur Kang dit : « S'il en est ainsi, comment se fait-il qu'il n'ait pas encore perdu le pouvoir ? » Confucius répondit : « Il a Kong Yu pour s'occuper des Affaires étrangères, le prêtre Tuo pour s'occuper du culte des ancêtres, et Wangsun Jia pour s'occuper de la Défense. Dans ces conditions, comment pourrait-il perdre le pouvoir ? »

xiv.20. Le Maître dit : « Parole légèrement donnée est difficilement tenue. »

xiv.21. Chen Heng assassina le duc Jian de Qi. Confucius fit les ablutions rituelles et se présenta à la Cour. Il annonça au duc Ai de Lu : « Chen Heng a assassiné son souverain. Je vous prie de le punir. » Le duc dit : « Informez les chefs des Trois Clans. »
Confucius dit : « C'est parce que j'ai occupé une position officielle, que je me suis senti obligé de faire cette démarche. Et voilà que le souverain me dit : Informez les chefs des Trois Clans! »
Il alla informer les chefs des Trois Clans, qui refusèrent sa requête. Confucius dit : « C'est parce que j'ai occupé une position officielle que je me suis senti obligé de faire cette démarche. »

xiv.22. Zilu demanda comment on doit servir son souverain. Le Maître dit : « Ne lui cachez rien, quitte à le heurter. »

xiv.23. Le Maître dit : « L'honnête homme remonte sa pente, l'homme vulgaire la descend. »

xiv.24. Le Maître dit : « Autrefois on étudiait pour soi, aujourd'hui on étudie pour impressionner les autres. »

XIV.25. Qu Boyu envoya un émissaire à Confucius. Confucius le fit asseoir et lui demanda : « Que devient votre maître? » L'autre répondit : « Mon maître souhaite commettre moins de fautes, mais il n'y parvient toujours pas. »

L'émissaire s'en alla. Le Maître dit : « Quel émissaire, quel émissaire! »

XIV.26. Le Maître dit : « Ne vous mêlez pas des décisions politiques qui ne sont pas de votre ressort. »

Maître Zeng dit : « Un honnête homme ne rêverait même pas d'outrepasser les attributions de sa charge. »

XIV.27. Le Maître dit : « Un honnête homme rougirait de promettre plus qu'il ne tient. »

XIV.28. Le Maître dit : « L'honnête homme se guide sur trois principes que je suis d'ailleurs incapable de suivre : sa bonté ne connaît pas l'inquiétude; son savoir ne connaît pas l'incertitude; sa bravoure ne connaît pas la peur. » Zigong dit : « Vous vous êtes décrit vous-même. »

XIV.29. Zigong critiquait autrui. Le Maître dit : « Zigong doit avoir atteint la perfection, ce qui lui donne des loisirs que je ne possède pas. »

XIV.30. Le Maître dit : « Ne vous affligez pas de votre obscurité; affligez-vous de votre incompétence. »

XIV.31. Le Maître dit : « Sans présumer la fraude ni soupçonner la malhonnêteté, en avoir pourtant l'immédiate intuition, voilà qui est d'un sage! »

XIV.32. Weisheng Mu dit à Confucius : « Mon vieux, pourquoi cours-tu ainsi à droite et à gauche? est-ce pour faire étalage de ton éloquence? » Confucius répondit : « Je n'ai aucune prétention à l'éloquence; simplement je déteste l'entêtement. »

xiv.33. Le Maître dit : « Le cheval Ji n'était pas admiré pour sa force, il était admiré pour sa vertu. »

xiv.34. Quelqu'un dit : « *Rendre le bien pour le mal* : qu'en pensez-vous? » Le Maître dit : « Que rendrez-vous pour le bien? Rendez la justice pour le mal, et le bien pour le bien. »

xiv.35. Le Maître dit : « Nul ne me connaît! » Zigong dit : « Pourquoi nul ne vous connaît-il? » Le Maître dit : « Je n'accuse pas le Ciel, je ne blâme pas les hommes. J'étudie ici-bas, et je suis entendu d'en haut. Seul le Ciel me connaît. »

xiv.36. Gongbo Liao accusa Zilu auprès de Ji Sun. Zifu Jingbo en informa Confucius, ajoutant : « Mon maître est sous l'influence de Gongbo Liao, mais j'ai encore le pouvoir de faire exposer la carcasse de celui-ci en place publique. » Le Maître dit : « Si c'est la volonté du Ciel, la vérité prévaudra. Si c'est la volonté du Ciel, la vérité sera étouffée. Contre la volonté du Ciel, que peut Gongbo Liao? »

xiv.37. Le Maître dit : « Le sommet de la sagesse est d'éviter le siècle; puis, d'éviter certains pays; puis, d'éviter certains gestes; puis, d'éviter certains mots. »
Le Maître dit : « Sept hommes l'ont fait. »

xiv.38. Zilu s'arrêta pour la nuit à la Porte de Pierre. Le gardien de la porte lui demanda : « D'où êtes-vous? » Zilu dit : « De chez Confucius. » L'autre dit : « N'est-ce pas celui-là qui poursuit ce qu'il sait être impossible? »

xiv.39. Le Maître jouait du carillon à Wei. Un homme chargé d'une hotte passa devant sa porte et dit : « Il y a du cœur dans cette musique-là! » Mais un peu plus tard, il dit : « Peuh, quels minables grelots! Laissez donc ça, puisque nul ne vous écoute.

*Quand le gué est profond, passez-le tout habillé;*
*Quand le gué est peu profond, retroussez votre tunique. »*

Le Maître dit : « Vous y allez rondement! Avec vous, il n'y a pas moyen de discuter. »

XIV.40. Zizhang dit : « Dans les *Documents,* il est écrit : *Le roi Gaozong prit le deuil de son père et garda le silence pendant trois ans.* Qu'est-ce à dire? » Le Maître dit : « Ce ne fut pas seulement le cas de Gaozong, tous les Anciens faisaient de même. Pendant les trois ans qui suivaient la mort d'un souverain, les fonctionnaires qu'il avait nommés demeuraient en place et recevaient leurs instructions du Premier ministre. »

XIV.41. Le Maître dit : « Quand ses maîtres cultivent les rites, le peuple est facile à gouverner. »

XIV.42. Zilu demanda ce qui constitue un gentilhomme. Le Maître dit : « Il se cultive, et acquiert ainsi de la gravité. — Est-ce tout? — Il se cultive, et donne ainsi la paix à autrui. — Est-ce tout? — Il se cultive, et donne ainsi la paix au peuple. Mais là, Yao et Shun eux-mêmes ont peiné. »

XIV.43. Yuan Rang attendait assis, les jambes étalées.
Le Maître dit : « Qui, jeune, ne respecte pas ses aînés, dans son âge mûr ne produit rien, et vieux, refuse de mourir, n'est qu'un brigand. » De sa canne, il lui frappa le mollet.

XIV.44. Un garçon du village de Que lui servait de messager. Quelqu'un demanda : « Fait-il des progrès? » Le Maître dit : « À le voir qui trône au milieu des adultes et marche de front avec ses aînés, on ne dirait pas qu'il cherche à progresser, mais seulement qu'il est pressé d'arriver. »

# CHAPITRE XV

xv.1. Le duc Ling de Wei interrogea Confucius sur l'art de manœuvrer les armées. Confucius répondit : « Je sais l'une ou l'autre chose en ce qui regarde l'art de disposer les vases rituels, mais je n'ai jamais étudié celui de disposer les régiments et les bataillons. » Il s'en alla le lendemain.

xv.2. Au pays de Chen, on lui coupa les vivres. Ses disciples affaiblis ne tenaient plus sur leurs jambes. Indigné, Zilu vint le trouver et dit : « Se peut-il qu'un honnête homme tombe dans la détresse? » Le Maître dit : « Bien sûr qu'un honnête homme peut tomber dans la détresse. Dans la détresse, seul l'homme vulgaire se laisse démonter. »

xv.3. Le Maître dit : « Zigong, crois-tu que je sois quelqu'un qui étudie une masse de choses et qui les retient par cœur? » L'autre répondit : « En effet. N'en est-il pas ainsi? – Nullement. J'ai un seul fil pour enfiler le tout. »

xv.4. Le Maître dit : « Zilu, comme ils sont rares ceux qui comprennent la vertu! »

xv.5. Le Maître dit : « Shun fut sûrement un de ceux qui savaient comment gouverner par l'inaction. Comment faisait-il? Il trônait solennellement, face au sud, un point c'est tout. »

xv.6. Zizhang demanda comment agir. Le Maître dit : « Parlez avec loyauté et bonne foi, agissez avec honnêteté et prudence, et votre action sera efficace, même parmi les Barbares. Si vous parlez sans loyauté ni bonne foi, si vous agissez sans honnêteté ni prudence, comment votre action pourrait-elle être efficace, même dans votre propre village ? Gardez cette maxime constamment devant les yeux, gravez-la sur le timon de votre char, et votre action sera efficace. » Zizhang l'inscrivit sur sa ceinture.

xv.7. Le Maître dit : « Quel homme intègre, ce Shi Yu ! Sous un bon gouvernement, il était droit comme une flèche. Sous un mauvais gouvernement, il était droit comme une flèche. Quel homme de bien, ce Qu Boyu ! Sous un bon gouvernement, il déployait ses talents, sous un mauvais gouvernement, il les repliait dans son cœur. »

xv.8. Le Maître dit : « Si vous avez affaire à un homme capable de comprendre vos paroles, mais que vous ne l'instruisiez pas, vous gaspillez un homme. Si vous avez affaire à un homme incapable de comprendre vos paroles, et que vous l'intruisiez, vous gaspillez vos paroles. Le sage ne gaspille ni les hommes ni les paroles. »

xv.9. Le Maître dit : « Un homme de cœur, un homme pleinement homme ne cherche pas à survivre aux dépens de son humanité. Au besoin il donne sa vie pour préserver son humanité. »

xv.10. Zigong demanda comment pratiquer la vertu suprême. Le Maître dit : « Un artisan qui veut faire du bon ouvrage, doit d'abord aiguiser ses outils. Où que vous résidiez, mettez-vous au service des officiers les plus sages et liez-vous d'amitié avec les gentilshommes les plus vertueux. »

xv.11. Yan Hui demanda comment gouverner un État. Le Maître dit : « Adoptez le calendrier des Xia; conduisez le char des Yin; portez la coiffe des Zhou. Pour la musique, suivez l'*Hymne du couronnement de Shun* et l'*Hymne de la conquête de*

*Wu.* Proscrivez la musique du pays de Zheng. Éloignez les flatteurs. La musique de Zheng corrompt. Les flatteurs sont dangereux. »

XV.12. Le Maître dit : « Qui ne se préoccupe pas de l'avenir lointain, se condamne aux soucis immédiats. »

XV.13. Le Maître dit : « Il n'y a pas à sortir de là, je n'ai jamais vu quelqu'un qui aimât la vertu autant que le sexe. »

XV.14. Le Maître dit : « Ce Zang Sunchen a volé sa charge! Il connaissait la compétence de Liuxia Hui, et pourtant il refusa de partager ses fonctions avec lui. »

XV.15. Le Maître dit : « Sévérité envers soi-même et indulgence envers les autres tiennent le ressentiment à distance. »

XV.16. Le Maître dit : « Avec qui ne sait dire " Comment faire, comment faire? ", je ne sais vraiment comment faire. »

XV.17. Le Maître dit : « Qu'ils sont pénibles ces gens qui passent toute la journée en société, se bornant à faire des jeux d'esprit, sans que leur conversation lève jamais une seule vérité! »

XV.18. Le Maître dit : « L'honnête homme se base sur la justice, agit selon les rites, s'exprime avec modestie et conclut de bonne foi. Ainsi fait l'honnête homme! »

XV.19. Le Maître dit : « L'honnête homme souffre de son incompétence, il ne souffre pas de son obscurité. »

XV.20. Le Maître dit : « L'honnête homme enrage de disparaître de ce monde sans avoir illustré son nom. »

XV.21. Le Maître dit : « L'honnête homme est exigeant envers soi, l'homme vulgaire est exigeant envers autrui. »

XV.22. Le Maître dit : « L'honnête homme est fier mais pas agressif, sociable mais pas partisan. »

xv.23. Le Maître dit : « L'honnête homme n'approuve pas un individu parce qu'il soutient une certaine opinion, ni ne rejette une opinion parce qu'elle émane d'un certain individu. »

xv.24. Zigong demanda : « Y a-t-il un seul mot qui puisse guider l'action d'une vie entière? » Le Maître dit : « Ne serait-ce pas *considération* : ne faites pas à autrui ce que vous ne voudriez pas qu'on vous fît. »

xv.25. Le Maître dit : « Quand je parle des autres, ai-je jamais dispensé le blâme ou l'éloge? Si j'ai fait l'éloge de quelqu'un, ce devait être après l'avoir vu à l'œuvre. Notre peuple d'aujourd'hui est celui-là même qui permit aux Trois dynasties de marcher dans la voie droite. »

xv.26. Le Maître dit : « Je me souviens du temps où les scribes laissaient en blanc les mots douteux, et où l'acquéreur d'un cheval le faisait essayer par un expert. Ça ne se fait plus maintenant! »

xv.27. Le Maître dit : « Les discours habiles compromettent la vertu. L'impatience dans les petites choses compromet les grands desseins. »

xv.28. Le Maître dit : « Tous le haïssent : examinez pourquoi. Tous l'aiment : examinez pourquoi. »

xv.29. Le Maître dit : « L'homme peut agrandir la Voie, ce n'est pas la Voie qui agrandit l'homme. »

xv.30. Le Maître dit : « Faute non corrigée est faute en vérité. »

xv.31. Le Maître dit : « J'ai une fois essayé de jeûner tout le jour et de veiller toute la nuit afin de méditer. En vain. Mieux vaut l'étude. »

xv.32. Le Maître dit : « L'honnête homme cherche la vérité, il ne cherche pas un gagne-pain. Labourez, et vous ne mangerez pas nécessairement à votre faim. Étudiez, et vous ferez peut-être carrière. L'honnête homme se soucie de la vérité, il ne se soucie pas de la pauvreté. »

xv.33. Le Maître dit : « Il ne suffit pas d'atteindre le pouvoir à force d'intelligence, encore faut-il le conserver à force de vertu, sinon ce qui aura été obtenu sera inévitablement perdu. Il ne suffit pas d'atteindre le pouvoir à force d'intelligence et de le conserver à force de vertu, encore faut-il gouverner avec dignité, sinon le peuple sera insolent. Ayant atteint le pouvoir à force d'intelligence, le conservant à force de vertu, et gouvernant avec dignité, si pourtant on mobilise le peuple sans observer les rites, on n'accomplira rien de bon. »

xv.34. Le Maître dit : « L'honnête homme ne donne pas sa mesure dans les petites choses, mais on peut lui en confier de grandes. On ne saurait confier de grandes choses à l'homme vulgaire, mais il donne sa mesure dans les petites. »

xv.35. Le Maître dit : « Pour le peuple, la vertu suprême est quelque chose de plus fondamental que l'eau et le feu. J'en ai vu qui périssaient pour s'être jetés dans l'eau ou le feu; je n'en ai jamais vu qui périssaient pour s'être jetés dans la vertu suprême. »

xv.36. Le Maître dit : « Dans la poursuite de la vertu suprême, ne vous laissez pas devancer par votre maître. »

xv.37. Le Maître dit : « L'honnête homme est droit, mais pas rigide. »

xv.38. Le Maître dit : « Au service du souverain, déployez votre zèle avant de penser aux prébendes. »

xv.39. Le Maître dit : « Mon enseignement s'adresse à tous, indifféremment. »

xv.40. Le Maître dit : « Sans principes communs, ce n'est pas la peine de discuter. »

xv.41. Le Maître dit : « Les mots sont affaire de communication, un point c'est tout. »

xv.42. Le musicien Mian vint le visiter. Au pied des marches, le Maître dit : « Attention à la marche. » Le conduisant à son siège, le Maître dit : « Voici votre siège. » Quand tous furent assis, le Maître lui expliqua : « Untel est assis ici, Untel est assis là. »

Quand Mian eut pris congé, Zizhang demanda : « Est-ce ainsi qu'il faut s'adresser à un musicien? » Le Maître répondit : « Oui, c'est ainsi que l'on doit guider un musicien. »

# CHAPITRE XVI

XVI.1. Le seigneur Ji s'apprêtait à attaquer Zhuanyu. Ran Qiu et Zilu vinrent trouver Confucius et lui dirent : « Le seigneur Ji va intervenir à Zhuanyu. »

Confucius dit : « Qiu, n'est-ce pas ta propre faute? Les anciens rois érigèrent jadis Zhuanyu en fief autonome; de plus, il est situé au cœur de notre territoire, il dépend de nous. Pourquoi l'attaquer? »

Ran Qiu dit : « C'est notre seigneur qui le veut. Quant à nous, nous ne le voulons ni l'un ni l'autre. »

Confucius dit : « Qiu, Zhou Ren a dit : " Qui en a la force, reste à son poste; qui en est incapable, se retire. " Que sert-il à ton maître de t'avoir pour assistant si tu ne l'épaules pas quand il chancelle, ni ne le soutiens quand il perd pied? D'ailleurs ce que tu dis est faux. Si un tigre ou un rhinocéros s'échappent de leur cage, si une carapace de tortue ou un jade s'abîment dans leur écrin, à qui la faute? »

Ran Qiu dit : « Maintenant Zhuanyu s'est fortifié, et il est voisin du château du seigneur Ji. Si ce dernier ne s'en empare pas aujourd'hui, demain il deviendra une menace pour ses enfants et petits-enfants. »

Confucius dit : « Qiu, un honnête homme a horreur des gens qui fabriquent des prétextes au lieu de simplement dire : " Voilà ce que je veux. " À ma connaissance, la question qui préoccupe un chef d'État ou un chef de clan, ce n'est pas la pauvreté mais les inégalités, ce n'est pas le manque de bras, mais le manque d'harmonie. En effet, quand il y a égalité, il n'y a pas de pauvreté; quand il y a harmonie, les bras ne font pas défaut. Et alors, si les populations voisines demeurent encore réfractaires, on doit les attirer par le seul prestige de la civilisation. Quand elles auront été ainsi séduites, la paix régnera. Mais maintenant, avec vous deux comme ministres, votre maître ne réussit pas à se concilier les populations voisines, ni à les attirer. Son pays est en proie à la zizanie, il n'est plus capable de le tenir. Et là-dessus il s'apprête à porter les armes contre une de ses provinces! Le problème du seigneur Ji, je le crains, n'est pas à Zhuanyu, mais à sa propre Cour. »

xvi.2. Confucius dit : « Quand le monde marche droit, les décisions concernant le rituel, la musique et les expéditions militaires sont prises par le Fils du Ciel. Quand le monde va de travers, les décisions concernant le rituel, la musique et les expéditions militaires sont prises par les grands vassaux. Quand ce sont les grands vassaux qui décident de tout, leur pouvoir dure rarement dix générations. Quand ce sont les ministres des grands vassaux qui décident de tout, leur pouvoir dure rarement cinq générations. Quand ce sont les intendants des ministres qui décident de tout, leur pouvoir dure rarement trois générations. Quand le monde marche droit, nulle initiative n'est laissée aux ministres. Quand le monde marche droit, le peuple ne discute pas. »

xvi.3. Confucius dit : « La maison ducale a perdu son autorité depuis cinq générations. Les ministres possèdent le pouvoir depuis quatre générations. Aussi la position des fils et petits-fils de ces derniers est-elle maintenant précaire. »

xvi.4. Confucius dit : « Trois sortes d'amis sont utiles, trois sortes d'amis sont néfastes. Les utiles : un ami droit, un ami fidèle, un ami cultivé. Les néfastes : un ami faux, un ami mou, un ami bavard. »

xvi.5. Confucius dit : « Trois sortes de plaisirs sont bénéfiques, trois sortes de plaisirs sont néfastes. Les bénéfiques . le plaisir qu'on tire d'un rituel et d'une musique bien réglés, le

plaisir de célébrer les mérites d'autrui, le plaisir d'avoir beaucoup d'amis pleins de talent. Les néfastes : les plaisirs de
l'extravagance, les plaisirs du vagabondage, les plaisirs de la
ripaille. »

xvi.6. Confucius dit : « En compagnie d'un gentilhomme,
il faut se garder de trois fautes : parler sans y être invité, ce
qui est une impertinence ; ne pas parler quand on y est invité,
ce qui est de la dissimulation ; parler sans observer les réactions
de l'autre, ce qui est de l'aveuglement. »

xvi.7. Confucius dit : « L'honnête homme observe trois
interdits. Dans sa jeunesse, quand l'ardeur du sang est en
tumulte, il se garde du sexe. Dans son âge mûr, quand l'ardeur
du sang est à sa plénitude, il se garde de la colère. Dans sa
vieillesse, quand l'ardeur du sang décline, il se garde de la
rapacité. »

xvi.8. Le Maître dit : « L'honnête homme craint trois choses :
il craint la volonté du Ciel, il craint les grands hommes, il
craint les paroles des saints. L'homme vulgaire ne connaît pas
la volonté du Ciel, et donc il ne la craint pas ; il méprise les
grands hommes ; il se moque des paroles des saints. »

xvi.9. Confucius dit : « Ceux dont le savoir est inné, constituent une catégorie supérieure. Puis viennent ceux dont le
savoir fut acquis par l'étude. Puis ceux qui se sont mis à étudier
parce qu'ils se trouvaient dans une mauvaise passe. Tout en
bas, il y a les gens qui se trouvent dans une mauvaise passe,
mais qui n'étudient pas. »

xvi.10. Confucius dit : « L'honnête homme veille à neuf
choses : quand il regarde, il veille à voir clair ; quand il écoute,
il veille à entendre distinctement ; dans sa contenance, il veille
à être amène ; dans son attitude, il veille à être respectueux ;
quand il parle, il veille à ce que ses paroles soient loyales ;
dans sa tâche, il veille à être sérieux ; dans le doute, il veille
à s'informer ; quand il se fâche, il veille aux conséquences ;

quand il obtient un avantage, il veille à ce que ce ne soit pas au détriment de la justice. »

XVI.11. Confucius dit : « Rechercher avidement le bien, fuir le mal comme le contact de l'eau bouillante – j'ai entendu cette maxime et je l'ai vue pratiquée. Vivre caché pour préserver l'élan de son cœur, marcher dans la justice pour accomplir sa Voie – j'ai entendu cette maxime, mais je ne l'ai jamais vue pratiquée. »

XVI.12. Le duc Jing de Qi avait mille chars de guerre. Même au jour de sa mort, les gens ne lui trouvèrent nulle vertu dont ils pussent faire l'éloge. Boyi et Shuqi moururent de faim au pied du mont Shouyang. Aujourd'hui encore, les gens célèbrent leur mémoire. N'est-ce pas une illustration du propos précédent ?

XVI.13. Chen Ziqin demanda au fils de Confucius : « Votre père vous a-t-il donné des enseignements particuliers ? » L'autre répondit : « Non. Une fois comme il se tenait seul et que je traversais discrètement la cour, il me dit : " As-tu étudié les *Poèmes ?* " Je répondis : " Non. – Si tu n'étudies pas les *Poèmes,* tu ne sauras jamais t'exprimer. " Je me retirai et j'étudiai les *Poèmes.* Un autre jour, comme il était de nouveau seul et que je traversais discrètement la cour, il me dit : " As-tu étudié le rituel ? " Je répondis : " Non. – Si tu n'étudies pas le rituel, tu ne sauras jamais te tenir. " Je me retirai et j'étudiai le rituel. Tels sont les deux enseignements qu'il m'a donnés. »

Chen Ziqin se retira et dit tout joyeux : « J'ai demandé une chose et j'en ai appris trois. J'ai appris quelque chose sur les *Poèmes* ; j'ai appris quelque chose sur le rituel ; et j'ai appris qu'un honnête homme garde ses distances avec son fils. »

XVI.14. Il y a diverses appellations pour l'épouse d'un souverain. Le souverain l'appelle « Madame ». Elle-même s'intitule « votre petite servante ». Les sujets l'appellent « la Dame du souverain », et devant les étrangers, ils l'appellent « notre petite princesse ». Les étrangers l'appellent également « la Dame du souverain »

# CHAPITRE XVII

XVII.1. Yang Huo voulait voir Confucius. Confucius ne le reçut pas. Yang Huo lui offrit un cochon de lait. Confucius attendit que Yang Huo fût sorti pour lui faire une visite de remerciement, mais il le rencontra en chemin.

Yang Huo l'interpella : « Venez, j'ai à vous parler. » Il continua : « Peut-on appeler vertueux un homme qui cache ses talents tandis que son pays va à la ruine? Je ne le pense pas. Peut-on appeler sage un homme qui brûle d'agir, mais en rate toutes les occasions? Je ne le pense pas. Les jours et les mois passent, le temps n'est pas de notre côté. »

Confucius dit : « Soit! Je vais accepter une charge. »

XVII.2. Le Maître dit : « La nature rapproche, la coutume sépare. »

XVII.3. Le Maître dit : « Seuls les gens suprêmement intelligents et les gens suprêmement bêtes ne changent pas. »

XVII.4. Le Maître se rendit à Wucheng. Il entendit des sons d'instruments à cordes et de chants. Il eut un fin sourire et dit : « À quoi bon utiliser un couperet à égorger les bœufs pour trancher le cou d'un poulet? »

Ziyou répondit : « Maître, je vous ai entendu dire autrefois : ˮ Le gentilhomme qui cultive la Voie aime tous les hommes. Le petit peuple qui cultive la Voie est facile à gouverner. ˮ »

Le Maître dit : « Mes amis, Ziyou a raison. Il y a un instant, je voulais seulement plaisanter. »

XVII.5. Gongshan Furao, qui commandait la place forte de Bi, se rebella. Il invita Confucius à le joindre. Confucius avait envie d'accepter.

Zilu en fut choqué; il dit : « Tant pis si nous n'avons nulle part où aller. Pourquoi aller chez Gongshan? »

Le Maître dit : « S'il fait appel à moi, ce n'est quand même pas pour rien. S'il se trouvait quelqu'un pour m'employer, je pourrais asseoir une nouvelle dynastie Zhou en Orient. »

XVII.6. Zizhang interrogea Confucius sur la vertu suprême. Confucius dit : « Qui saurait faire régner cinq choses dans le monde entier, réaliserait la vertu suprême. — Qu'est-ce à dire? — Déférence, tolérance, bonne foi, diligence et générosité. La déférence garantit des insultes. La tolérance se concilie tous les cœurs. La bonne foi suscite la confiance des gens. La diligence assure le succès. La générosité permet de commander aux autres. »

XVII.7. Bi Xi invita Confucius. Confucius avait envie d'accepter.

Zilu dit : « Maître, je vous ai entendu dire autrefois : " L'honnête homme ne se rend pas chez des gens qui commettent personnellement le mal. " Bi Xi s'est rebellé avec sa place forte de Zhongmou, et voilà maintenant que vous allez chez lui. Comment est-ce possible? »

Le Maître dit : « En effet, j'ai dit cela. Et pourtant ne dit-on pas : " Si dur que la meule ne l'use pas, si blanc que la suie ne le noircit pas? " Suis-je donc une gourde amère qu'on suspend au clou, mais qu'on ne mange pas? »

XVII.8. Le Maître dit : « Zilu, as-tu entendu parler des six qualités et de leurs six perversions? » L'autre répondit : « Non. — Assieds-toi, je vais t'expliquer. Le culte du bien sans le goût de l'étude tourne à la bêtise. Le culte de l'intelligence sans le goût de l'étude tourne à la frivolité. Le culte de la parole donnée sans le goût de l'étude tourne au banditisme. Le culte de la franchise sans le goût de l'étude tourne à la brutalité. Le culte de l'héroïsme sans le goût de l'étude tourne à la rébellion. Le culte de la force sans le goût de l'étude tourne à l'anarchie. »

XVII.9. Le Maître dit : « Mes enfants, pourquoi aucun de vous n'étudie-t-il les *Poèmes?* Les *Poèmes* permettent de stimuler, permettent d'observer, permettent de communier, permettent de protester. En famille, ils vous aideront à servir votre père; dans le monde, ils vous aideront à servir votre souverain. Et vous y apprendrez les noms de beaucoup d'oiseaux, bêtes, plantes et arbres. »

XVII.10. Le Maître dit à son fils : « As-tu travaillé la première et la seconde partie des *Poèmes?* Qui voudrait faire son métier d'homme sans travailler la première et la seconde partie des *Poèmes* restera comme planté le nez contre un mur. »

XVII.11. Le Maître dit : « Ils disent : " les rites par-ci, les rites par-là ", comme s'il s'agissait seulement d'ornements de jade et de soie! Ils disent : " la musique par-ci, la musique par-là ", comme s'il s'agissait seulement de cloches et de tambours! »

XVII.12. Le Maître dit : « Un couard qui affecte un air terrible ressemble — pour prendre un exemple vulgaire — au monte-en-l'air qui s'introduit par effraction. »

XVII.13. Le Maître dit : « Les bien-pensants de province sont la ruine de la vertu. »

XVII.14. Le Maître dit : « Les colporteurs d'ouï-dire sont les laissés-pour-compte de la vertu. »

XVII.15. Le Maître dit : « Peut-on servir le souverain en compagnie d'un goujat? Avant d'avoir obtenu sa position, sa seule crainte est de ne pas l'obtenir. Une fois qu'il l'a obtenue, sa seule crainte est de la perdre. Et quand il craint de la perdre, il devient capable de tout. »

XVII.16. Le Maître dit : « Les Anciens avaient trois défauts, mais d'une façon dont les Modernes ne sont même plus capables. L'excentricité des Anciens était libre; l'excentricité des Modernes est licencieuse. La fierté des Anciens était carrée; la fierté des Modernes est hargneuse. La stupidité des Anciens était droite; la stupidité des Modernes est retorse. »

XVII.17. Le Maître dit : « Discours habiles et attitudes affectées dénotent rarement la vertu. »

XVII.18. Le Maître dit : « Je déteste la pourpre qui prend la place du rouge. Je déteste la musique populaire qui corrompt la musique classique. Je déteste les beaux parleurs qui mettent le pays sens dessus dessous. »

XVII.19. Le Maître dit : « Je voudrais ne plus parler. » Zigong dit : « Maître, si vous ne parlez plus, qu'est-ce que nous, vos pauvres disciples, pourrons encore transmettre? » Le Maître dit : « Le Ciel parle-t-il? Pourtant les quatre saisons suivent leur cours, pourtant les cent créatures naissent. Le Ciel parle-t-il? »

XVII.20. Ru Bei voulait voir Confucius. Confucius refusa de le recevoir, prétextant qu'il était souffrant. Mais comme le serviteur chargé de ce message quittait sa chambre, Confucius prit sa cithare et se mit à chanter de façon que son visiteur l'entendît.

XVII.21. Zai Yu demanda : « Trois années de deuil pour ses père et mère, c'est bien long. Si un honnête homme cesse de pratiquer les rites pendant trois ans, les rites se corrompront certainement. S'il cesse de pratiquer la musique pendant trois ans, la musique disparaîtra certainement. Quand l'ancienne récolte est finie, une nouvelle récolte la remplace; pour le feu, on change de ligot suivant les saisons. Une année de deuil, c'est bien assez, non? » Le Maître dit : « Après un an, pourrais-tu recommencer d'un cœur léger à manger du riz blanc et à te vêtir de soie fine? » Zai Yu dit : « Sans aucune difficulté. – Si tu peux le faire d'un cœur léger, vas-y. Quand un honnête homme est en deuil, les nourritures délicates lui paraissent insipides, et il ne prend aucun plaisir à écouter la musique. Son confort habituel le met mal à l'aise, et c'est pourquoi il y renonce. Mais toi, si tu peux en jouir d'un cœur léger, vas-y. »

Zai Yu sortit. Le Maître dit : « Yu est vraiment inhumain. Pendant les trois premières années de son existence, un enfant ne quitte pas le giron de ses parents. Les trois années de deuil sont une coutume universellement observée dans le monde entier. On croirait vraiment que Yu n'a même pas joui trois ans de l'affection de ses parents! »

XVII.22. Le Maître dit : « Qu'ils sont pénibles, ces gens qui s'empiffrent toute la journée sans employer leur esprit! Ne savent-ils même pas jouer aux échecs? Ce serait toujours mieux que rien. »

XVII.23. Zilu dit : « L'honnête homme prise-t-il la bravoure? » Le Maître dit : « L'honnête homme place la justice au-dessus de tout. Un honnête homme qui est brave mais pas juste devient un rebelle. Un homme vulgaire qui est brave mais pas juste devient un bandit. »

XVII.24. Zigong dit : « Un honnête homme peut-il haïr? » Le Maître dit : « Oui, il a ses haines. Il déteste ceux qui parlent des défauts des autres. Il déteste les inférieurs qui calomnient leurs supérieurs. Il déteste ceux dont la bravoure n'est pas tempérée par des mœurs civilisées. Il déteste ceux qui sont impulsifs et entêtés. » Il continua : « Et toi, n'as-tu pas aussi tes haines? – Je déteste les plagiaires qui se font passer pour savants. Je déteste les insolents qui se font passer pour braves. Je déteste les mauvaises langues qui se font passer pour sincères. »

XVII.25. Le Maître dit : « Il est particulièrement difficile d'employer des filles et des gens de peu : traitez-les cordialement et ils deviennent insolents, tenez-les à distance et ils vous en garderont rancune. »

XVII.26. Le Maître dit : « Qui est encore détesté à l'âge de quarante ans, le restera pour toujours. »

# CHAPITRE XVIII

XVIII.1. Le tyran fit fuir le seigneur de Wei, réduisit le seigneur de Ji en esclavage et exécuta Bi Gan qui lui avait fait des remontrances. Confucius dit : « La dynastie Yin a eu trois hommes parfaitement bons. »

XVIII.2. Liuxia Hui qui occupait un poste de juge en fut trois fois chassé. On lui dit : « Pourquoi ne pas aller ailleurs ? » Il répondit : « Si je fais honnêtement mon travail, où donc ne serai-je pas trois fois chassé ? Et si c'est pour faire malhonnêtement mon travail, à quoi bon quitter le pays de mes parents ? »

XVIII.3. Le duc Jing de Qi avait accueilli Confucius. Il dit : « Le traiter sur le même pied que le chef du clan Ji, je ne le puis. Je vais le traiter comme s'il était en dessous de Ji et au-dessus de Meng. » Il dit encore : « Je me fais vieux. Je ne suis pas capable de l'employer. » Confucius s'en alla.

XVIII.4. Les gens de Qi envoyèrent une troupe de chanteuses et de danseuses. Le seigneur Ji accepta ce cadeau et pendant trois jours il ne parut pas à la Cour. Confucius s'en alla.

XVIII.5. Croisant Confucius, Jieyu, le fou du pays de Chu, se mit à chanter :

> *Phénix, ô phénix !*
> *Comme ton pouvoir s'est affaibli !*

*C'en est fait du passé,*
*Mais pour le futur il est temps encore.*
*Assez, assez!*
*Ceux qui gouvernent aujourd'hui sont en danger.*

Confucius descendit de son char et voulut lui parler, mais l'autre s'enfuit et disparut. Confucius ne réussit pas à lui parler.

XVIII.6. Changju et Jieni labouraient ensemble. Confucius, passant par là, leur dépêcha Zilu pour s'informer du gué.

Changju dit : « Qui est dans le char ? » Zilu dit : « C'est Confucius.

– Le Confucius du pays de Lu ?

– Lui-même.

– Il connaît le gué. »

Zilu demanda à Jieni. Jieni dit : « Qui es-tu ?

– Je m'appelle Zilu.

– Es-tu un disciple de Confucius ?

– Oui.

– Tout l'univers est emporté d'un même flot ; qui pourrait en renverser le courant ? Au lieu de suivre un homme qui abandonne un patron pour un autre, pourquoi ne pas suivre un homme qui a abandonné le monde ? » Et tout en parlant, il continuait à retourner son champ.

Zilu revint faire rapport à Confucius. Confucius soupira : « On ne peut pas s'associer avec les bêtes sauvages et les oiseaux. Qui puis-je fréquenter sinon mes semblables ? Si le monde marchait droit, je ne chercherais pas à le changer. »

XVIII.7. Au cours d'un voyage avec Confucius, Zilu avait été laissé en arrière. Il rencontra un vieillard qui portait à l'épaule un panier accroché à son bâton.

Zilu demanda : « Monsieur, avez-vous vu mon Maître ? » Le vieillard dit : « Toi qui ne sais rien faire de tes quatre membres, ni ne peux distinguer les cinq céréales, qui donc pourrait être ton maître ? » Il planta son bâton en terre et se mit à sarcler. Zilu attendit respectueusement qu'il eût fini. Le vieux le garda à loger ce soir-là. Il égorgea un poulet et lui servit un plat de

101

millet. Il lui présenta aussi ses deux fils. Le lendemain, Zilu poursuivit sa route et fit rapport à Confucius. Le Maître dit : « C'est un ermite. » Il chargea Zilu d'aller le revoir, mais à son arrivée, l'autre était parti.

Zilu dit : « On n'a pas le droit de se retirer de la vie publique. On ne peut faire fi de la hiérarchie qui règle les relations entre aînés et cadets; à plus forte raison, comment ferait-on fi du principe qui commande les rapports entre souverain et sujets? On ne peut quand même pas bouleverser les relations humaines les plus fondamentales rien que pour préserver sa pureté individuelle. Pour un honnête homme, servir l'État reste un devoir, même s'il sait d'avance que la vérité ne prévaudra jamais. »

XVIII.8. Ceux qui se sont retirés : Boyi, Shuqi, Yuzhong, Yiyi, Zhuzhang, Liuxia Hui, Shaolian.

Le Maître dit : « Intransigeance et fierté : toute la vie de Boyi et Shuqi tient dans ces deux mots. » De Liuxia Hui et Shaolian, il dit : « Ils ont transigé, ils ont été humiliés; mais du moins leurs paroles furent-elles inspirées par la décence, et leurs actions par la prudence. » Quant à Yuzhong et Yiyi, « ils vécurent cachés, et renoncèrent à s'exprimer, mais ils sauvegardèrent leur pureté et firent montre d'habileté dans leur effacement. Pour ma part, il en va autrement : je n'ai pas d'idées préconçues sur ce qu'on peut ou ne peut pas faire. »

XVIII.9. Le grand maître de musique Zhi partit pour Qi. Gan, maître de musique du deuxième service de table, partit pour Chu. Liao, maître de musique du troisième service de table, partit pour Cai. Que, maître de musique du quatrième service de table, partit pour Qin. Le grand tambour Fangshu traversa le fleuve Jaune. Wu, le joueur de tambourin, traversa la rivière Han. Yang, le maître-adjoint, et Xiang, le joueur de lithophone, traversèrent l'océan.

XVIII.10. Le duc de Zhou disait à son fils, le duc de Lu : « Un gentilhomme ne néglige pas ses proches. Il ne donne pas l'occasion à ses ministres de se plaindre d'être inutiles. Sans raison grave, il ne congédie pas ceux qui l'ont servi longtemps. Il n'attend pas qu'un homme à soi seul soit bon à tout. »

XVIII.11. La dynastie Zhou eut huit chevaliers : les aînés Da et Gua; les puînés Tu et Hu; les cadets Ye et Xia; les benjamins Sui et Gua.

# CHAPITRE XIX

XIX.1. Zizhang dit : « Face au danger, un clerc offre sa vie; la vue du profit ne lui fait pas oublier la justice; il sacrifie avec piété; dans le deuil, il manifeste de la douleur. Que voulez-vous de plus? »

XIX.2. Zizhang dit : « Qui embrasse mollement la vertu et suit la Voie avec hésitation, dirons-nous qu'il possède la vertu et la Voie? Dirons-nous qu'il ne les possède pas? »

XIX.3. Les disciples de Zixia interrogèrent Zizhang sur l'amitié. Zizhang dit : « Que vous a enseigné Zixia? » Ils répondirent : « Zixia dit : " Fréquentez les gens comme il faut, évitez les gens pas-comme-il-faut. " »
Zizhang dit : « Ce qu'on m'a enseigné est différent. L'honnête homme vénère les sages et tolère la foule. Il admire les hommes de talent et a pitié des incapables. Si je possède une vaste sagesse, qui ne saurais-je tolérer? Et si je suis dépourvu de sagesse, ce sont les autres qui devraient m'éviter; de quel droit les éviterais-je? »

XIX.4. Zixia dit : « Même les petits métiers ont leur intérêt. Mais qui a longue route à faire, craint les bourbiers, et aussi l'honnête homme ne s'y engage-t-il pas. »

xix.5. Zixia dit : « De qui mesure chaque jour ses carences, et retient chaque mois ses leçons, on peut dire qu'il aime l'étude. »

xix.6. Zixia dit : « Étendez votre savoir et affermissez votre résolution. Questionnez avec sincérité; réfléchisssez sur ce qui est sous vos yeux : la vertu suprême s'y trouve. »

xix.7. Zixia dit · « Les cent artisans vivent dans leurs échoppes pour accomplir leur besogne. L'honnête homme étudie pour réaliser sa Voie. »

xix.8. Zixia dit : « Quand un homme vulgaire faute, 1 cherche toujours à sauver les apparences. »

xix.9. Zixia dit : « L'honnête homme a trois visages. Vu de loin, il est sévère. De près, il est amène. Quand on l'entend, sa parole est incisive. »

xix.10. Zixia dit : « Un gentilhomme fait d'abord régner la confiance et ensuite il peut mobiliser ses gens. Sans cette confiance, ceux-ci pourraient se croire brimés. Un gentilhomme fait d'abord régner la confiance, et ensuite il peut critiquer son souverain. Sans cette confiance, celui-ci pourrait se croire insulté. »

xix.11. Zixia dit : « Les grands principes ne souffrent pas de transgression; les petits principes tolèrent des accommodements. »

xix.12. Ziyou dit : « Les disciples et jeunes élèves de Zixia savent se débrouiller aussi longtemps qu'il ne s'agit que de nettoyage et de balayage, d'échange de salutations, et de la façon de se présenter et de prendre congé. Mais ce ne sont là que détails. Sur l'essentiel ils sont ignares. Comment est-ce possible? »
En entendant cela, Zixia dit : « Aïe! Ziyou se trompe! Dans la doctrine de l'honnête homme, qu'est-ce qui doit être enseigné d'abord, et qu'est-ce qui est superflu? C'est comme pour les

plances et les arbres : il faut distinguer diverses variétés. Comment la doctrine de l'honnête homme pourrait-elle comporter des sornettes? Mais il faudrait un saint pour la maîtriser du commencement à la fin. »

XIX.13. Zixia dit : « Si l'administration vous laisse des loisirs, étudiez. Si l'étude vous laisse des loisirs, administrez. »

XIX.14. Ziyou dit : « Le deuil doit exprimer la douleur, et rien de plus. »

XIX.15. Ziyou dit : « Mon ami Zizhang est un homme d'un rare talent; pourtant, il n'a pas atteint la vertu suprême. »

XIX.16. Maître Zeng dit : « Zizhang prend beaucoup de place : il est difficile de cheminer à son côté vers la vertu suprême. »

XIX.17. Maître Zeng dit : « J'ai appris ceci du Maître : on ne révèle jamais le fond de soi-même, sauf quand on pleure ses parents. »

XIX.18. Maître Zeng dit : « J'ai appris ceci du Maître : on peut imiter bien des aspects de la piété filiale du seigneur Meng Zhuang; ce qui est inimitable, c'est la façon dont il conserva tous les intendants de son père et dont il continua sa politique. »

XIX.19. Le clan Meng avait nommé Yang Fu à un poste de juge. Yang Fu demanda conseil à maître Zeng.
Maître Zeng dit : « Les gouvernants ont quitté le droit chemin et le peuple est resté longtemps abandonné à lui-même. Chaque fois que vous tirerez un crime au clair, que ce soit avec un sentiment de compassion et non de victoire. »

XIX.20. Zigong dit : « Zhouxin n'était pas aussi abominable qu'on le dit. C'est bien pour ça que l'honnête homme redoute de vivre en aval du fleuve de l'opinion publique : toute l'ordure du monde s'y accumule. »

XIX.21. Zigong dit : « Les fautes de l'honnête homme sont comme les éclipses du soleil et de la lune. Il faute, et tout le monde s'en aperçoit. Il s'amende, et tout le monde s'extasie. »

XIX.22. Gongsun Chao de Wei demanda à Zigong : « De qui Confucius tenait-il son savoir ? » Zigong dit : « La doctrine du roi Wen et du roi Wu n'est jamais tombée dans l'oubli, elle est restée parmi les hommes. Les sages en possèdent l'essentiel ; les gens ordinaires en possèdent des détails. Tous savent quelque chose de la doctrine du roi Wen et du roi Wu. Auprès de qui mon Maître aurait-il manqué une occasion d'apprendre ? Et quel besoin aurait-il eu d'un maître en particulier ? »

XIX.23. Shusun Wushu conversait avec des grands officiers à la Cour. Il dit : « Zigong est meilleur que Confucius. » Zifu Jingbo rapporta cela à Zigong.
Zigong dit : « C'est comme un mur d'enceinte. Mon mur ne vient que jusqu'à l'épaule ; d'un coup d'œil jeté par-dessus, on peut découvrir la beauté de mon intérieur. Le mur de mon Maître a vingt coudées de haut ; à moins de trouver la porte et de franchir cette enceinte, on ne peut rien deviner de la magnificence du temple ancestral à l'intérieur, ni de la splendeur de ses innombrables appartements. Bien rares sont ceux qui ont trouvé la porte ! Ce qu'a dit ce monsieur n'est donc que tout naturel. »

XIX.24. Shusun Wushu disait du mal de Confucius.
Zigong dit : « Ça ne fait rien. Confucius est au-dessus de tout cela. L'éminence des autres sages est comme une colline qu'on peut escalader. Confucius est comme le soleil et la lune : essayez de sauter par-dessus ! Qui voudrait se couper de leur lumière n'affecterait nullement le soleil et la lune, il montrerait seulement qu'il ne connaît pas ses propres limites. »

xix.25. Chen Ziqin dit à Zigong : « Vous êtes trop modeste; en fait vous savez bien que vous êtes meilleur que Confucius. »

Zigong dit : « En une seule phrase un honnête homme révèle son savoir, en une seule phrase, il révèle son ignorance; aussi doit-il peser ses mots. On ne saurait pas plus égaler le Maître qu'on ne pourrait escalader le ciel avec une échelle. Si le Maître avait jamais eu la chance de gouverner un État, vous auriez vu se réaliser les paroles : " Il les met debout, et ils se tiennent debout; il leur montre le chemin, et ils marchent; il leur offre la paix, et ils viennent à lui; il les mobilise, et ils font écho à son appel; vivant, ils le glorifient; mort, ils le pleurent. " Comment pourrait-on l'égaler ? »

# CHAPITRE XX

xx.1. Yao dit :

*« Ô Shun, le Ciel a placé la couronne sur ta tête ;*
*Gouverne fidèlement le Milieu.*
*Si l'Entre-quatre-mers venait à dépérir*
*La grâce céleste tarirait à jamais. »*

À son tour, Shun transmit le Mandat à Yu.

Tang dit : « Moi, pauvre avorton, j'ose sacrifier un taureau noir. J'ose proclamer ceci devant le glorieux Souverain du Ciel :

> *Je n'ose pas gracier les coupables.*
> *Tes serviteurs ne peuvent rien te cacher,*
> *C'est toi qui les juges.*

Si je suis coupable, que ma faute ne retombe pas sur les dix mille cantons.

Si les dix mille cantons sont coupables, que leur faute retombe sur moi seul. »

Zhou investit beaucoup de vassaux. Les justes prospérèrent.

> *J'ai à ma disposition tous les hommes de mon clan,*
> *Mais je préfère les hommes vertueux.*
> *Si le peuple faute,*
> *Que sa faute retombe sur moi seul.*

Réglez soigneusement les poids et les mesures, révisez les lois, rétablissez les fonctions qui avaient été abolies, et l'autorité du gouvernement s'étendra dans le monde entier. Restaurez les

États qui avaient été anéantis, rétablissez les successions héréditaires qui avaient été interrompues, rappelez les émigrés, et dans le monde entier vous vous concilierez tous les cœurs.

Ce qui importe : le peuple, la nourriture, les funérailles, les sacrifices.

La magnanimité conquiert les masses. La bonne foi suscite la confiance du peuple. L'industrie est garante du succès. La justice assure le bonheur.

xx.2. Zizhang demanda à Confucius : « Que faut-il faire pour pouvoir gouverner ? » Le Maître dit : « Qui cultive les cinq trésors et élimine les quatre fléaux peut gouverner. » Zizhang dit : « Quels sont ces cinq trésors ? »

Le Maître dit : « Un gentilhomme est généreux sans rien dépenser. Il fait travailler les gens sans les faire grogner. Il a des volontés mais pas de convoitises. Il est serein sans être indifférent. Il a de l'autorité mais n'est pas tyrannique. »

Zizhang dit : « Être généreux sans rien dépenser – qu'est-ce que ça veut dire ? »

Le Maître dit : « S'il laisse les gens poursuivre les activités qui leur sont bénéfiques, n'est-il pas généreux sans rien dépenser ? S'il ne leur assigne que des tâches raisonnables, qui grognera ? Si sa volonté désire le Bien et recueille le Bien, quelle place y aurait-il en lui pour la convoitise ? Un gentilhomme traite de même une population nombreuse et une population clairsemée, il traite de même les grands et les petits, il accorde la même attention à tous. N'est-il donc pas juste de dire qu'il est serein sans être indifférent ? Un gentilhomme est vêtu correctement, son attitude est imposante : les gens le regardent avec une admiration craintive. N'est-il donc pas juste de dire qu'il a de l'autorité sans être tyrannique ? »

Zizhang dit : « Quels sont les quatre fléaux ? »

Le Maître dit : « La Terreur qui cultive l'ignorance et pratique le massacre. La Tyrannie qui exige des récoltes sans avoir semé. Le Pillage qui se perpètre à coups d'ordres incohérents. La Bureaucratie qui dénie à chacun son dû. »

xx.3. Confucius dit : « Qui ne connaît le Destin ne peut vivre en honnête homme. Qui ne connaît les rites ne sait comment se tenir. Qui ne connaît le sens des mots ne peut connaître les hommes. »

NOTES

1.1.

*Le moment venu* : plus précisément, on pourrait dire *au moment prescrit* (ce sens est attesté par Mencius). L'interprétation de Zhu Xi (*à tout moment, constamment*) est un anachronisme – lecture d'une expression antique à la lumière d'un usage récent.

*Honnête homme* : avant Confucius, ce terme de *junzi* n'avait qu'une connotation sociale : *gentilhomme, homme de qualité*. L'originalité majeure de la pensée confucéenne est d'avoir réussi à progressivement débarrasser cette notion de sa dimension sociale et de l'avoir investie d'un contenu nouveau, purement moral : *honnête homme* ou *homme de bien*. Cette transformation a eu des conséquences énormes et radicales, entraînant la mise en question de tout l'ordre aristocratique et féodal, et substituant à l'ancienne notion d'élite héréditaire celle d'une élite qui serait déterminée par la vertu, le mérite, les compétences, le talent, indépendamment de la naissance et de la fortune. Cette transformation n'a pu évidemment s'effectuer d'un coup; au fil des *Entretiens,* on peut identifier les divers états du concept : à quelques endroits (rarement), *junzi* est encore employé dans son acception purement et étroitement sociale de *gentilhomme*; plus souvent, il se rencontre dans une acception ambiguë qui confond qualité sociale et qualité morale (*homme de qualité*). Mais l'originalité de la pensée confucéenne culmine dans les très nombreux passages où c'est la qualité morale qui est isolée et soulignée (*honnête homme),* voire quelquefois explicitement opposée à la qualité sociale.

*Ignoré du monde* : l'homme dont les talents sont méconnus doit conserver sa sérénité. Confucius est obsédé par ce thème qui présentait pour lui une cruelle pertinence.

115

I.2.

*Maître You* : You Ruo, disciple de Confucius. Dans les *Entretiens*, deux disciples seulement — You Ruo et Zeng Shen (le « Maître Zeng » que l'on rencontre dès le verset 4) — sont gratifiés de ce titre de « Maître ». Pour cette raison, divers commentateurs pensent que les *Entretiens* ont été compilés par des disciples de ces deux disciples.

*Humanité* : à entendre ici, soit dans le sens de « genre humain », soit dans le sens de « vertu d'humanité » (valeur absolue et vertu suprême selon Confucius — c'est elle qui est traduite simplement par *vertu* au verset 3). Les deux termes sont homophones et d'une graphie assez semblable (le second est d'ailleurs étymologiquement dérivé du premier); lequel des deux faut-il lire ici? Les commentateurs hésitent.

I.4.

*Je m'examine plusieurs fois* : littéralement, *je m'examine trois fois*. La majorité des traducteurs occidentaux écrivent : *je m'examine sur trois points*; cette lecture est presque unanimement rejetée par les commentateurs chinois, anciens et modernes, pour une évidente raison de syntaxe : pour justifier la lecture « occidentale », il faudrait avoir, au lieu de *wu ri san xing*, la construction *wu ri xing zhe san*, dont un bon exemple est donné plus loin : *junzi dao zhe san* (XIV.28). Le fait que, par ailleurs, l'examen en question porte effectivement sur trois points est une coïncidence.

I.5.

*Un État d'une certaine importance* : littéralement, *un État de mille chars*, (*sheng*, char de guerre à quatre chevaux). L'importance et la force d'un État se mesuraient au nombre de chars de guerre qu'il était capable d'aligner. Au début de l'époque des Printemps et des Automnes, même les plus grands pays n'auraient pu disposer de mille chars; ainsi par exemple à la bataille de Chengpu, le duc Wen de Jin n'avait que sept cents chars (*Zuo zhuan*, 28ᵉ année du duc Xi). Mais, dans la suite, les guerres se multiplièrent et les divers États développèrent leurs armements; au moment de la conférence de Pingqiu (*Zuo zhuan*, 13ᵉ année du duc Zhao), Jin disposait de quatre mille chars! À l'époque de Confucius, un État de mille chars n'était plus un grand État; voir plus loin par exemple, le propos de Zilu (XI.26, note) : « Donnez-moi un État de mille chars, menacé par des voisins puissants... »

*Les périodes prescrites* : de manière à ne pas empiéter sur les travaux des champs; préoccupation constante — on la retrouve encore chez Mencius.

I.6.

*Étudier les belles-lettres* : les activités purement intellectuelles ne conviennent que pour meubler les loisirs. L'« étude » dont il est constamment question dans les *Entretiens* (c'est le premier mot du premier chapitre!) consiste essentiellement en un apprentissage moral du métier d'homme (voir par exemple 1.14); elle inclut secondairement l'acquisition du savoir, mais les poursuites intellectuelles n'ont sens et valeur que dans la mesure où elles sont au service du perfectionnement moral. Cette conception a continué à inspirer la culture et la pédagogie chinoises jusqu'à nos jours et, dans ce domaine, le régime communiste lui-même présente de très caractéristiques exemples de la survie de cette mentalité confucéenne.

1.7.

*Zixia* : surnom de courtoisie de Bu Shang, disciple de Confucius.

*La vertu plutôt que le plaisir* : on pourrait traduire littéralement *priser la vertu et mépriser (yi) le sexe (se)*. Un commentateur moderne (Yang Bojun) a observé que le reste du passage traite de trois autres relations spécifiques (parents, souverain, amis) et pense donc que la première phrase vise le lien conjugal; dans ce cas on pourrait traduire : « un homme qui priserait la vertu de son épouse plutôt que sa beauté ». Notons enfin qu'il est aussi théoriquement possible d'interpréter *yi se* dans le sens de « changer de contenance » (pour marquer son respect envers les hommes vertueux), ou simplement « contrôler son apparence, ou son expression ».

1.8.

*Son savoir demeurera futile* : une autre lecture est possible : *s'il étudie, il cessera d'être inculte* (prenant alors *gu* dans le sens de *gulou*) – ce qui paraît une lapalissade.

1.10.

*Ziqin* : surnom de courtoisie de Cheng Gang; plus loin il apparaît deux fois encore (XVI.13 et XIX.25). Il ne semble pas avoir été un disciple de Confucius, mais l'opinion n'est pas unanime à ce sujet.

*Zigong* : surnom de courtoisie de Duanmu Si; disciple de Confucius.

1.12.

*La pratique des rites* : dans la pensée confucéenne, le rituel constitue une notion fondamentale : il s'agit au sens large de tout l'ensemble des usages civilisés et, au sens technique, de la liturgie. Les rites ne sont donc pas des formes creuses, ce sont des formes opérantes et efficaces, possédant une fonction d'enseignement et de contrôle. Quand les rites se corrompent, la civilisation se perd.

1.13.

*Le plus sûr soutien...* : toute cette dernière phrase est obscure – le texte est probablement corrompu. Commentateurs et traducteurs torturent cette phrase à qui mieux mieux pour tâcher d'en extraire un sens. Les meilleurs commentaires chinois modernes s'accordent pour interpréter *yin* et *zong* dans le sens de *s'appuyer sur, suivre*. Mais certains autres pensent toutefois que *yin* devrait se lire comme un autre caractère homophone, signifiant *épouser*, et font alors de ce propos une maxime concernant le choix d'une épouse convenable *(ke qin)*, digne d'être présentée aux ancêtres *(zong)*. Il existe encore plusieurs autres interprétations, toutes plus ingénieuses les unes que les autres – je préfère ne pas me joindre à la compétition.

I.15.

*Les Poèmes* : c'est-à-dire le *Canon des poèmes*; la citation est extraite de *Guo feng, Wei, Qi ao (Canon des poèmes,* I, v.1); le passage en question décrit la noble prestance d'un gentilhomme; la leçon morale qui s'en dégage concerne le devoir pour l'honnête homme de dominer et perfectionner sa nature.

CHAPITRE II

II.2.

*Penser droit* : *Canon des poèmes,* IV, II.1 *(Lu song, Jiong).* Dans leur contexte original, les trois mots *si wu xie* décrivent simplement un attelage qui galope tout droit, et *si* n'a nullement le sens de *penser,* mais est seulement utilisé comme une particule auxiliaire. La façon dont Confucius manipule le *Canon des poèmes* au moyen de citations hors contexte et de contresens délibérés est typique des usages de son époque : l'étiquette prescrivait aux hommes d'État, aux diplomates et aux gens éduqués d'exprimer leurs idées personnelles au moyen d'une sorte de découpage, ou de « collage », de fragments disparates du *Canon des poèmes,* un peu comme ce personnage de Huxley (dans *Brave New World)* dont le langage quotidien était uniquement fait d'une mosaïque de citations de Shakespeare, ou encore, comme l'auteur d'une lettre anonyme qui, pour ne pas dévoiler sa propre écriture, colle bout à bout des lettres et des mots découpés dans un journal.

II.3.

*Se tient à carreau* : certains traduisent *mian* par *s'enfuir*; en fait, dans la littérature pré-Qin, *mian* a toujours le sens de *mian zui,* « ne pas commettre d'infractions », ou *mian xing,* « se garder des châtiments ».

*Se soumet volontiers* : le terme *ge* se prête à des interprétations multiples (« venir », « se corriger », « respecter », etc.). En ce qui concerne son usage ici, il y a un passage du *Li ji* (chap. *Zi yi)* qui, traitant du même sujet avec les mêmes mots, peut fournir le plus ancien et le plus éclairant des commentaires : *ge* y est employé comme l'antithèse d'un mot qui signifie « s'enfuir », « éviter », « se cacher ».

II.4.

*Nul propos ne pouvait plus me troubler* : traduction relativement littérale de *er shun ;* cette expression laconique et énigmatique a inspiré de longs commentaires et des interprétations variées : *je comprenais tout, je distinguais le bien du mal, ou le vrai du faux, j'étais capable de tout entendre avec impartialité, nulle parole (de calomnie ou de flatterie) ne pouvait plus m'émouvoir (me heurter ou m'exciter)*, etc.

*Maintenant* : ce mot n'est pas dans le texte, mais comme Confucius est mort peu après l'âge de soixante-dix ans, on peut supposer que cette dernière phrase décrivait son état présent.

II.5.

*Meng Yi* : membre d'une des grandes familles du pays de Lu.

*Fan Chi* : disciple de Confucius.

II.6.

*Meng Wu* : fils de Meng Yi.

II.7.

*Ziyou* : surnom de courtoisie de Yan Yan ; disciple de Confucius.

*Les chiens et les chevaux* : certains commentateurs classiques ont voulu lire : « Quiconque sert ses parents passe pour un bon fils, mais les chiens et les chevaux savent eux aussi rendre service... » Cette lecture, qui fait fi de la syntaxe, était dictée non par la philologie mais par la morale : l'idée que Confucius aurait pu mettre les pères et mères en parallèle avec des chiens et des chevaux choquait les bien-pensants.

II.8.

*Tout est dans la manière* : littéralement : « c'est la contenance qui est difficile » *(se nan)*. Le propos peut s'entendre de deux façons : soit, le bon fils doit adopter une contenance douce et respectueuse quand il sert ses parents ; soit, il doit être capable d'interpréter la contenance de ses parents de façon à deviner s'ils sont satisfaits ou non.

Il faut remarquer que Confucius donne *quatre* réponses différentes à la même question ; ceci est un trait caractéristique de sa pédagogie – son enseignement évite l'abstraction, il est toujours adapté au degré de réceptivité, aux besoins concrets et aux aptitudes particulières de l'interlocuteur. Nous trouverons plus loin des exemples encore plus remarquables de cette méthode : on ne dit pas la même chose à des auditeurs différents.

II.9.

*Yan Hui* : le disciple favori de Confucius. Son surnom de courtoisie était Ziyuan.

II.12.

*Un pot* : on pourrait également traduire *un ustensile* ou *un instrument*. L'idée est la même : la capacité d'un honnête homme n'est pas limitée comme celle d'un récipient, ses aptitudes ne sont pas circonscrites à un seul usage bien précis, comme un outil conçu seulement pour une fonction déterminée. La leçon universaliste de l'humanisme confucéen présente une singulière pertinence pour notre âge qui est devenu celui des « brutes spécialisées »...

Concernant la syntaxe de ce propos, S.W. Durrant (« On translating *Lun Yü* », in *Chinese Literature* : *Essays, Articles, Reviews,* janvier 1981, vol. III) a objecté, à l'encontre de ce type de traduction, qu'elle traite la particule négative préverbale *bu* comme s'il s'agissait d'une particule prénominale *fei.* L'objection n'est pertinente qu'en apparence. Pour rendre fidèlement la négation *bu,* il faudrait pouvoir épouser la fluidité morphologique du chinois et traiter « pot » comme un verbe : « L'honnête homme ne potifie pas » (néologisme construit sur le modèle de « bêtifier »), ou encore « L'honnête homme ne fait pas le pot » (« faire » étant entendu dans le sens où l'on dit « faire l'ange, faire la bête »). Mais l'inconvénient de ces deux traductions est évidemment que la première n'est pas française et que la seconde est obscure. « L'honnête homme ne se comporte pas comme un pot » serait peut-être plus exact, mais présente le désavantage (à mes yeux, capital) d'une excessive prolixité : toute la beauté et la force des *Entretiens* résident précisément dans la concision bourrue et abrupte de ses maximes.

Remarquons enfin que, si l'on prend *qi* dans le sens d'*ustensile, outil,* on pourrait également traduire : « L'honnête homme ne se laisse pas manipuler. »

## II.16.

*Attaquer un problème par le mauvais bout...* : le texte de ce propos n'est nullement corrompu, mais son interprétation pose de fascinants problèmes ; il a fait l'objet de lectures variées (voire diamétralement opposées !) selon la façon dont on en débrouille la syntaxe, et selon le sens que l'on assigne à trois mots (*gong, yiduan* et *yi*).

L'interprétation la plus commune donne : *S'appliquer à l'étude d'une doctrine hétérodoxe, voilà qui est désastreux.* Le mot *gong* a deux sens : *attaquer* et *étudier* ; mais avait-il déjà le second sens à l'époque de la rédaction des *Entretiens* ? En dehors de ce passage-ci, *gong* se rencontre à trois autres endroits des *Entretiens* — chaque fois dans le seul sens d'*attaquer* ! *Yiduan* qui signifie littéralement *l'autre bout* en est progressivement venu à signifier *doctrine hétérodoxe, hérésie.* Si l'on objecte qu'il n'y avait pas encore de confucianisme à l'époque de Confucius, et donc guère de possibilité d'hérésie, une interprétation alternative est alors proposée : *doctrine erronée.* Ceci laisse toutefois un problème grammatical non résolu : pourquoi le complément direct *doctrine* est-il relié au verbe *étudier* par une préposition *(hu)* ?

Qian Mu propose une lecture très ingénieuse qui retient *gong* dans son sens fondamental d'*attaquer, prendre le contre-pied,* et conserve à *yiduan* son sens concret de *l'autre bout* — donc aussi, *l'autre camp, l'autre partie, le contradicteur* ; sa version pourrait se traduire : « s'acharner à réfuter les contradicteurs, voilà qui est désastreux ! » Mais cette belle lecture — qui est d'ailleurs grammaticalement irréprochable — n'est-elle pas tendancieuse, colorée idéologiquement par la pensée (on pourrait même dire : la religion) confucéenne de ce grand savant traditionnel ? Ne découle-t-elle pas d'une vue *a priori* qui veut faire de Confucius un apôtre de la tolérance ? Sur l'autre bord, en Chine populaire, Yang Bojun qui, lui, n'est pas embarrassé de scrupules théologiques, et qui lit les *Entretiens* d'un point de vue de linguiste, de grammairien et de socio-historien, propose pour ce passage-ci une interprétation tout à fait révolutionnaire : *Attaquez les doctrines erronées* (ou, si l'on veut, *écrasez l'hérésie*), *et vous mettrez un terme à tous les fléaux*. Dans cette lecture, *hai* (« les maux », « les fléaux ») devient substantif et sujet de *yi* considéré non plus comme une simple particule finale, mais bien comme le verbe *stopper*. Cette audacieuse interprétation, si troublante par les perspectives nouvelles qu'elle pourrait ouvrir sur la personnalité et l'attitude de Confucius (qui apparaîtrait alors comme une sorte de redoutable ayatollah!), laisse toutefois subsister deux problèmes grammaticaux : le premier a déjà été signalé plus haut (que faire de la préposition *hu* ?); le second concerne *yi* : le mot se rencontre effectivement dans les *Entretiens* comme un verbe ayant le sens de *stopper, mettre fin*; mais ce que nous avons ici c'est le binôme *ye yi* en fin de phrase, toujours utilisé dans les *Entretiens* (voir par exemple i.14 ou ix.23) comme une sorte de simple point final, ou de point d'exclamation, dénué de toute autre signification.

II.17.

*Zilu* : surnom de courtoisie de Zhong You, disciple de Confucius. Actif, impétueux, Zilu est une figure haute en couleur qui tranche sur les autres disciples, d'une manière qui fait parfois curieusement penser à saint Pierre dans l'Évangile.

II.18.

*Zizhang* : surnom de courtoisie de Zhuansun Shi; disciple de Confucius.

II.19.

*Duc Ai* : souverain du pays de Lu.

II.20.

*Ji Kang* était une sorte de « maire du palais » et détenait le pouvoir réel dans le pays de Lu.

II.21.

*Canon des documents* : le passage que cite Confucius a disparu du *Canon des documents* tel que nous le connaissons aujourd'hui.

II.22.

*Timon... brancards* : littéralement, il s'agit des chevilles qui assujettissaient respectivement le joug sur le timon d'un char à bœufs, et le collier sur le timon d'une voiture à cheval – c'est-à-dire, une petite pièce dont tout dépend.

II.23.

*Savoir ce que feront les successeurs des Zhou à cent générations de distance* : notons pour la curiosité que nous sommes aujourd'hui exactement à soixante-dix-sept générations de l'époque de Confucius (si l'on accepte les calculs basés sur l'arbre généalogique de son descendant officiel, Kong Decheng − né en 1920).

II.24.

*Un dieu qui n'est pas le vôtre* : il faut borner son culte aux seuls dieux de son propre terroir. En général, le binôme *gui shen* désigne « les dieux », tandis que le terme *gui* employé seul désigne plus souvent « les esprits des ancêtres » ; il est toutefois des cas où le seul *gui* présente le sens plus large de la première expression (tant Qian Mu que Yang Bojun penchent ici pour le sens large). Si l'on adopte le sens étroit il faudrait traduire : *sacrifier à des esprits qui ne sont pas ceux de vos ancêtres, c'est de la flagornerie*. De toute manière, le sens général est clair et parfaitement conséquent avec ce que nous savons des positions de Confucius en matière de religion : il faut ce qu'il faut − c'est-à-dire, ce que requièrent la décence, la morale et l'ordre social − mais rien de plus. Avec les esprits, pas de surenchère.


CHAPITRE III


III.1.

*Huit rangs de danseurs* : seul le souverain avait le droit d'employer huit rangs (chaque rang comptait huit danseurs) ; les grands vassaux avaient droit à six rangs, et les grands officiers à quatre. Le chef du clan Ji appartenait à cette dernière catégorie.

Confucius dénonce la façon dont les clans aristocratiques s'arrogeaient des privilèges royaux. L'ambition des grands féodaux ruinait progressivement l'ancien ordre rituel pour le remplacer par la loi de la jungle. Confucius avait le sentiment d'assister au naufrage de la civilisation.

*S'il est capable de cela...* : cette phrase est passée dans la langue courante, comme une expression proverbiale, mais ce faisant, elle a acquis un sens différent : « Si nous tolérons ceci, que ne devrons-nous pas tolérer encore ! » Telle est d'ailleurs la version généralement adoptée par les traducteurs occidentaux. Mais *ren* (« tolérer ») a en chinois classique un second sens : « oser », « avoir le nerf », et c'est à cette dernière interprétation que se rallient tant Qian Mu que Yang Bojun. Yang fait d'ailleurs observer avec pertinence que Confucius n'aurait eu nulle possibilité de mettre le holà aux impudentes usurpations du clan Ji ; pour lui, la question n'était donc pas de « tolérer » ou non ce qu'il lui fallait bien subir comme un fait accompli − il ne pouvait qu'exprimer son indignation et ses craintes pour l'avenir.

III.2.

*Yong* : une pièce du *Canon des poèmes* (*Zhou song, Chen gong*, IV, I.2). Comme dans le propos précédent, Confucius s'insurge ici contre le détournement de la liturgie – qui équivalait à une usurpation de pouvoir – perpétré par les puissantes familles aristocratiques.

De même que pour plusieurs autres propos de ce chapitre, ma traduction n'est pas littérale : pour rendre le texte intelligible à première lecture, je supplée divers mots, explicitant ce qui est sous-entendu dans l'original.

III.4.

*Lin Fang* : tout ce que les commentateurs disent à son sujet, c'est qu'il était un sujet du pays de Lu.

III.5.

*Les Barbares... ne valent pas les Chinois* : ce propos important soulève un passionnant problème d'interprétation : il peut se lire de deux manières diamétralement opposées. Il signifie soit : « Les Barbares ont beau avoir des chefs, ils ne valent pas les Chinois, alors même que ceux-ci n'en ont pas »; soit : « même les Barbares ont des chefs; en cela, ils ne sont pas comme les Chinois (c'est-à-dire, ils valent mieux que les Chinois) qui n'en ont pas ».

À l'époque des Six dynasties, comme la Chine était divisée et tombée à moitié sous la coupe des envahisseurs barbares, les commentateurs penchaient en général pour la première interprétation : il leur était réconfortant de penser que, même désunis, les Chinois vaincus l'emportaient encore sur les Barbares triomphants; de plus, en affirmant ainsi la supériorité de leur civilisation, il leur était possible de définir et consolider une identité culturelle menacée par l'occupation étrangère.

À l'époque Song au contraire, plusieurs commentateurs ont préféré la deuxième interprétation; après les traumatiques désordres qui avaient marqué la fin des Tang et les Cinq dynasties, et devant les menaces permanentes que les Barbares du Nord faisaient peser sur la survie de l'empire unifié, le maintien d'un pouvoir central fort, capable de prévenir le danger de désintégration politique, apparaissait dorénavant comme un impératif prioritaire, et les lettrés étaient donc tout disposés à tirer profit de la leçon que leur offrait l'ennemi. Il devenait salubre et urgent de méditer ce paradoxe : même les Barbares comprennent l'avantage d'une autorité centralisée, allons-nous leur demeurer inférieurs sur ce point?

La seconde lecture, qui concède une supériorité aux Barbares, devait naturellement séduire ces derniers! Ainsi Arthur Waley traduisait sans hésiter : « *The Barbarians have retained their princes. They are not in a state of decay as we in China.* » Avant lui, le père Séraphin Couvreur avait déjà montré la voie : « Les Barbares qui ont des princes sont moins misérables que les nombreux peuples de la Chine ne reconnaissant plus de princes... »

L'idée que Confucius aurait été capable de dépasser son propre univers culturel pour trouver des mérites aux Barbares est évidemment attrayante. Mais pareille lecture est-elle justifiée? Elle serait certes conforme à la conception qu'avait Confucius de l'importance du pouvoir royal. Il voyait dans l'institution dynastique Zhou la pierre angulaire de l'ordre civilisé, le seul rempart contre les rivalités de plus en plus féroces et anarchiques des grands vassaux. Il pensait que seule une restauration de l'autorité royale aurait pu enrayer le processus de désintégration de la société. De ce point de vue, ces Barbares qui avaient conservé leur roi auraient sans doute pu être proposés en modèles aux Chinois.

Mais on pourrait tout aussi bien faire valoir un argument inverse : Confucius n'avait nullement le culte de la monarchie pour elle-même. Le pouvoir royal n'était pas important *en soi*, il n'était précieux que dans la mesure où il constituait un instrument et une condition de la civilisation. C'est la civilisation qui représentait la valeur absolue : elle seule distinguait les Chinois des Barbares, et fondait la supériorité des premiers; tout en ayant des rois, les Barbares n'auraient su égaler des nations civilisées, même si celles-ci étaient occasionnellement dépourvues de souverain.

Mais le dernier mot du débat doit revenir à la philologie plutôt qu'à la philosophie. En fin de compte, tout dépend de la signification exacte de *bu ru* – littéralement, « ne pas être comme », « ne pas être semblable à ». Il semble qu'à l'époque pré-Qin (et en particulier dans les *Entretiens,* voir par exemple v.9 et vi.20) cette expression signifiait presque toujours « ne pas égaler », « être inférieur à », « ne pas valoir autant que ». Dans ce cas, il faudrait conclure que Confucius jugeait les Barbares inférieurs aux Chinois. Cette conclusion n'a d'ailleurs rien de surprenant.

III.6.

*Le mont Tai* : le pic de l'Est, la plus importante des cinq montagnes sacrées. Sacrifier à l'Esprit du mont Tai était un privilège exclusif du Fils du Ciel – c'était la plus solennelle et la plus sublime liturgie de l'univers civilisé. L'impudence du chef du clan Ji était donc proprement sacrilège.

*Ran Qiu* : disciple de Confucius; son surnom de courtoisie était Ziyou. Ran Qiu était employé au service du clan Ji. C'est pourquoi Confucius espérait qu'il réussirait à dissuader son patron de poursuivre cette indécente entreprise.

*Lin Fang* : déjà rencontré au verset III.4. On ne sait trop ce qu'il vient faire ici. Les commentateurs pensent que Lin Fang – dont on vient de voir qu'il s'intéressait au problème des rites – représente en quelque sorte le niveau élémentaire du savoir en la matière. Même un individu quelconque comme Lin Fang en sait assez long pour percevoir toute l'outrecuidance du chef du clan Ji. Pour que le sacrifice de ce dernier puisse être agréé, il faudrait donc supposer que l'Esprit du mont Tai n'ait même pas le discernement d'un Lin Fang.

III.8.

*Oh les fossettes* : les deux premiers vers viennent du *Canon des poèmes* (*Wei feng  Shuo ren* , le troisième n'a pu être identifié

III.10.

*Je ne tiens pas à voir la suite .* ce sacrifice aurait dû demeurer le privilège exclusif des rois Zhou, mais maintenant un simple vassal comme le duc de Lu se permettait de l'exécuter – d'ou l'indignation de Confucius qui ne voulait pas être témoin de ce scandale

III.11.

*Je ne sais pas* : non seulement Confucius ne veut pas assister à ce sacrifice qui était célébré dans des conditions choquantes, mais encore il affecte de n'y rien entendre. Un monde où les vassaux peuvent s'arroger les prérogatives de leur souverain, sans susciter l'indignation universelle, est un monde à l'envers. Qui percevrait clairement cela pourrait remettre l'univers en ordre

III.12.

*Qui dit sacrifice dit présence* : en chinois, *ji ru zai,* littéralement « sacrifier comme si être présent ». Le laconisme de cette proposition a donné lieu à des interprétations diverses dont aucune n'est totalement convaincante  Arthur Waley croit qu'il s'agit d'un jeu de mots; son explication est ingénieuse, mais précisément ses interprétations pèchent parfois par excès d'ingéniosité!

III.13.

*Wangsun Jia* : ministre du duc Ling de Wei, à la cour duquel Confucius était venu chercher un emploi. Le dicton que cite Wangsun Jia exprime une cynique sagesse populaire : mieux vaut se concilier la faveur de la valetaille qui saura assurer votre subsistance, que celle du maître dont la bienveillance lointaine n'a jamais nourri personne. Deux interprétations sont possibles . soit, Wangsun Jia demande conseil pour sa propre carrière : doit-il se concilier les bonnes grâces du duc (le dieu de la maison) ou celles de sa favorite (le dieu de la cuisine)? Soit, sous couvert de poser une question, il donne un avertissement à Confucius : ne comptez pas trop sur le duc; si vous voulez réussir ici, c'est à moi que vous devez faire votre cour. Si la question est ambiguë, la réponse, elle, est claire : Confucius condamne les manœuvres opportunistes – il ne peut y avoir qu'une seule politique, celle que dicte la conscience.

III.15.

*Ce bonhomme-là* : littéralement, « le fils de l'homme de Zou »  Le père de Confucius avait exercé une fonction officielle dans cette bourgade. Confucius est désigné ici de façon délibérément insultante.

III.16.

*Ce qui compte, ce n'est pas de percer la cible* comme le font les archers militaires, mais seulement de la toucher : pour un honnête homme le tir à l'arc n'est pas une question de muscles, mais de rite. (Cette conception est restée vivante au Japon, dans la pratique rituelle du tir à l'arc qui aujourd'hui suscite l'admiration parfois un peu naïve de pèlerins occidentaux assoiffés de mystique orientale : voir par exemple l'ouvrage de Herrigel que A. Koestler devait tourner si joyeusement en bourrique dans *Le Lotus et le robot*.)

III.17.

*La cérémonie de l'Annonce de la Nouvelle Lune* commémorait la remise du calendrier aux vassaux par le roi.

Confucius observait avec angoisse l'affaiblissement progressif de l'autorité royale, cependant que les rivalités des grands vassaux aboutissaient à des guerres endémiques, de plus en plus sauvages, et qui menaçaient de détruire le monde civilisé. Confucius qui professait son attachement à la dynastie Zhou — synonyme pour lui de civilisation — cherchait par tous les moyens à sauvegarder au moins le concept de l'autorité royale qui ne survivait plus guère que dans des symboles et des cérémonies — tel ce sacrifice dont il reprochait à Zigong de vouloir simplifier la liturgie.

III.19.

*Le duc Ding* : de Lu.

III.20.

*Les Orfraies* . poème amoureux par lequel commence le *Canon des poèmes*. Notons que *yin* (traduit ici par « lascivité »), dans son sens premier, signifie simplement « excès » : *une joie sans excès* serait donc une traduction tout à fait défendable; mais comme Confucius commente ici un poème d'amour, c'est le sens second (d'ailleurs plus courant) qui paraît s'imposer.

III.21.

*Le duc Ai* : de Lu.

*Zai Yu* . disciple de Confucius; son surnom de courtoisie était Ziwo.

*Le tremble* : il s'agit en fait du châtaignier *(li)* — ce qui permet à Zai Yu de faire son jeu de mots sur le peuple qui « tremble » *(li)*.

*Ce qui est dit, est dit... inutile d'y revenir* : Confucius est très mécontent. Contrairement à ce que pourrait imaginer un lecteur moderne, ce qui l'irrite dans cette improvisation indiscrète de son disciple, ce n'est pas sa philosophie d'Almanach Vermot — à l'époque, cette méthode n'avait rien de choquant : la pensée chinoise antique s'appuyait moins sur le raisonnement logique que sur le développement analogique, et Confucius lui-même (on le voit à plusieurs reprises dans les *Entretiens*) n'hésitait pas à déployer sa réflexion à partir de calembours à faire pâlir d'envie le professeur Lacan. Non, le

126

problème ici ne concerne pas la méthode d'expression, mais le contenu : Confucius reproche à Zai Yu de faire l'apologie de la terreur.

Pour ce commentaire final de Confucius (« Ce qui est dit, est dit; ce qui est fait, est fait; inutile d'y revenir »), j'ai simplement reproduit l'excellente traduction d'Anne Cheng.

III.22.

*Guan Zhong* : au viie siècle av. J.-C. (quelque cent cinquante ans avant Confucius), il avait été Premier ministre du pays de Qi dont il avait assuré la puissance et la prospérité.

Que lui reprochait Confucius? Le grand historien Sima Qian (début du Ier siècle av. J.-C.) se demandait si ce que Confucius ne pouvait lui pardonner, au fond, ce n'était pas d'avoir manqué de l'ambition suprême : celle de refaire l'unité royale de la Chine. Politicien habile, ministre d'un prince intelligent, disposant des ressources d'un État riche et puissant, Guan Zhong avait bénéficié de tous les atouts – ceux-là mêmes que, toute sa vie, Confucius rêva vainement de pouvoir jamais rassembler; or cette occasion unique qui fut obstinément déniée à Confucius, Guan Zhong la gaspilla, faute de souffle et de vision : au lieu de profiter de sa position pour « pacifier l'univers », il s'était seulement contenté de bien gérer l'État de Qi...

*Trois palais* : l'expression *san gui* est obscure et a fait l'objet d'interprétations différentes : « trois épouses », « trois résidences » – certains même veulent expliquer ce terme à partir des écrits théoriques attribués à Guan Zhong, où cette expression désigne une méthode de taxation (qui contribua à faire la fortune personnelle du ministre). Cette dernière explication, fort ingénieuse, est due à Guo Songtao (1818-1891), esprit exceptionnellement original et attachant, plus connu dans l'histoire pour avoir été le tout premier diplomate chinois posté en Occident – il fut successivement ministre de Chine à Londres, puis à Paris (1876-1878).

III.23.

*Dans la musique...* : tout ce propos est fort obscur. Les divers commentateurs et traducteurs l'interprètent avec beaucoup d'assurance, mais le disparate même de leurs explications semble faire plus honneur à leur imagination qu'à leur science. Confessons notre ignorance.

III.24.

*Votre maître a perdu son emploi* : cette mésaventure lui arriva plusieurs fois. La carrière officielle de Confucius fut une succession d'échecs. L'enseignement ne fut jamais pour lui qu'un pis-aller – à la fois un gagne-pain et un dérivatif à son ambition frustrée, laquelle demeura toujours d'ordre essentiellement politique.

III.25.

*L'Hymne du couronnement de Shun* : littéralement, « la musique *shao* »; *l'Hymne de la conquête de Wu* : littéralement, « la musique *wu* ». Shun, souverain de l'époque mythique, avait accédé au pouvoir de la façon la plus civilisée qui soit : le sage souverain Yao, ayant remarqué sa vertu, abdiqua en sa faveur. Le roi Wu par contre, fondateur de la dynastie Zhou, conquit le trône par la violence, éliminant Zhouxin, le dernier souverain de Shang. Si vertueux que fût Wu et si abominable que fût Zhouxin, ce dernier n'en était pas moins le souverain légitime; la conquête de Wu a beau être glorieuse, à l'origine elle n'en était pas moins une rébellion. (Il faudra attendre Mencius et sa justification du tyrannicide, pour voir ce dilemme moral enfin résolu : dans le raisonnement de Mencius, un roi qui se comporte en tyran cesse du fait même d'être un roi, et son meurtrier ne saurait donc être considéré comme un régicide.)

CHAPITRE IV

IV.1.

*L'humanité* : *ren,* la vertu suprême selon Confucius (déjà rencontrée plusieurs fois plus haut); souvent rendue par les traducteurs comme « le bien », « la bonté », « la bienveillance », « la vertu »; celui qui la pratique est « l'homme bon », « l'homme vertueux », ou ici (voir IV.3 et 4), « l'homme pleinement homme », « l'homme vraiment homme ». Inutile de dire que toutes nos traductions sont inadéquates; elles amènent souvent à donner de Confucius l'image d'une sorte d'académicien bonasse qui délivre des prix de vertu. Rien ne saurait être plus loin de la vérité : *ren* – la plénitude d'humanité – est pour Confucius un absolu indicible et brûlant, d'une splendeur aveuglante, d'une exigence héroïque et totale; c'est une force qui informe tout, mais que nul ne possède vraiment; on ne l'appréhende que partiellement; on ne peut la saisir que dans ses manifestations et ses effets. De même que le terme de *junzi* (« l'aristocrate » que Confucius a transformé en « honnête homme », voir plus haut, note I.1), *ren* présente une évolution remarquable. À l'origine, il n'avait aucun contenu moral; dans l'usage archaïque (attesté par le *Canon des poèmes*), il décrivait la qualité virile, l'élégance martiale d'un héros. À cette vision primitive, convenant à des guerriers épiques, s'est progressivement substituée une conception éthique de l'homme considéré tant dans le réseau de ses relations psychologiques et morales avec autrui, que dans ses devoirs envers lui-même. Confucius a développé au plus haut point et exprimé avec le maximum de clarté et d'intensité cette nouvelle vision humaniste et morale, l'érigeant en absolu. (Sur les origines du terme *ren,* voir l'excellente étude de Lin Yü-sheng. « The evolution of the pre-Confucian meaning of *jen* and the Confucian concept of moral autonomy » in *Monumenta Serica,* vol. XXXI, 1974-1975.)

IV.7.

*C'est à vos fautes que l'on connaît votre vertu* : beaucoup de commentateurs pensent qu'au lieu du mot « vertu » *(ren)* il faudrait lire ici le caractère « homme » *(ren)* (nous avons rencontré un cas identique plus haut, voir la note *humanité,* 1.2). Dans ce cas, la phrase devient : « C'est à ses fautes que l'on connaît un homme » – observation de moindre originalité.

IV.9.

*Un clerc :* ce très important terme de *shi* est traduit par Waley « un chevalier », ce qui paraît un anachronisme archaïsant, tandis que Legge et les commentateurs chinois le rendent par « un lettré », « scholar », « dushu ren », ce qui est peut-être un anachronisme modernisant; la vérité gît entre les deux, mais nous n'avons pas de mot pour l'exprimer; à tout prendre, la seconde solution est la meilleure : c'est vers elle que tendait la définition de Confucius, c'est en elle que culminera finalement la conception confucéenne classique de l'« intellectuel » investi de responsabilités éthiques et d'une mission politique.

La pensée de Confucius – on ne saurait assez le rappeler – s'est développée dans une période de crise et de transformation profonde de la société chinoise; elle est elle-même tout à la fois produit et moteur de cette transition : elle reflète les métamorphoses de l'époque, et elle en précipite l'évolution. La fluidité sociale de cette période de bouleversement ne s'exprime nulle part mieux que dans la notion même de *shi,* classe mouvante, marginale et dynamique, à la recherche d'une nouvelle définition et d'une nouvelle fonction. À l'origine, les *shi* constituaient la petite noblesse, le niveau inférieur de l'aristocratie. À l'époque de Confucius, ils formaient une classe hybride – à laquelle appartenait le Sage lui-même, et dans les rangs de laquelle se recrutait la majorité de ses disciples – faite en partie de nobles déclassés, cadets sans terre et sans position, et en partie d'« hommes nouveaux », roturiers qui, forts seulement de leur ambition et de leurs talents, cherchaient à faire carrière au service de l'un ou l'autre prince. Après plusieurs siècles d'évolution, armés de l'idéologie confucéenne, les *shi* constitueront l'élite dirigeante de l'empire unifié – cette bureaucratie recrutée sur la base du savoir et du mérite, qui gouvernera la Chine pendant deux mille ans.

IV.15.

*Shen :* Zeng Shen (Maître Zeng), disciple de Confucius; déjà rencontré plus haut (1.4).

*Le précepte de la fidélité à soi et à autrui :* en chinois, *zhong shu. Zhong* et *shu* sont des notions complémentaires, l'une négative, l'autre positive – *shu* (dans la définition même qu'en donne Confucius), c'est « ne pas faire à autrui ce que nous ne voudrions pas qu'il nous fît », tandis que *zhong* représente le versant positif de ce même principe.

Je ne suis guère satisfait de la traduction proposée ici, mais toutes les autres solutions me laissent également perplexe. Parmi les plus intéressantes, signalons : « Loyalty, considération » (Waley) ; « exigence envers soi-même, mansuétude pour les autres » (Anne Cheng) ; « gratitude et bienveillance » (L. Vandermeersch, *Wangdao ou la voie royale,* Paris, 1980, vol II, p. 504).

IV.26.

*Mesquinerie* : en chinois *shuo* ; certains commentateurs interprètent ce mot dans le sens de « remontrances ». Mais la tradition confucéenne a toujours fait un devoir pour l'homme d'État de critiquer son souverain, fût-ce au risque de sa vie. En l'absence d'une claire confirmation, on hésite donc à interpréter ce propos dans un sens qui irait précisément à l'encontre de cette haute tradition.

### CHAPITRE V

V.1.

*Gongye Chang* : disciple de Confucius.

V.2.

*Nangong Kuo* : ou Nan Rong ; disciple de Confucius. Son surnom de courtoisie était Zirong.

V.3.

*Zijian* : surnom de courtoisie de Fu Buqi, disciple de Confucius.

V.5.

*Ran Yong* : disciple de Confucius. Son surnom de courtoisie était Zhonggong.

*Vertueux* : il s'agit encore une fois de *ren,* l'humanité suprême, la vertu par excellence selon Confucius. Comme on le verra à plusieurs reprises dans ce chapitre, le Maître nie qu'un homme puisse posséder la plénitude de cette vertu, si considérables que soient par ailleurs ses mérites : l'absolu ne saurait se laisser réduire aux dimensions d'un individu particulier.

V.6.

*Qidiao Kai* : disciple de Confucius ; surnom de courtoisie : Zikai.

V.7.

*Où trouverions-nous l'équipement pour une telle expédition?* : plus littéralement on pourrait dire : « Où trouverions-nous les matériaux pour un tel radeau? » Cette lecture – à vrai dire inorthodoxe – n'a été retenue que par une infime minorité de commentateurs, mais elle est finalement la plus proche du texte original, car elle conserve le caractère *cai* (« bois », « matériaux ») dans son sens premier. Quant aux autres interprétations, elles se ramènent essentiellement à deux types : 1. Zilu est trop bravache, il manque de jugement (*cai* est alors remplacé par un autre caractère, homophone du premier, et qui signifie « tailler », « juger »); 2. Zilu est trop bravache, je n'arrive décidément jamais à mettre la main sur des gens convenables! (*cai* est alors remplacé par la particule exclamative *zai*).

Il est fort possible que le texte soit corrompu et que son sens véritable ne puisse donc jamais être éclairci. Mais il est amusant d'observer que les raisons pour lesquelles notre interprétation est catégoriquement rejetée par la majorité des commentateurs n'ont rien à voir avec la philosophie – elles reflètent simplement certains stéréotypes qui mériteraient bien d'être réexaminés.

L'image qu'on se fait habituellement du lettré chinois – ce cliché a surtout été popularisé par le roman et le théâtre des Ming et des Qing – est celle d'un être raffiné, diaphane et fragile dont les seules activités manuelles se limitent au maniement du pinceau et de l'éventail, et qui vit au milieu des livres, incapable d'effort physique et méprisant les exercices violents. Dans cette perspective, l'aventureuse proposition de Confucius doit naturellement apparaître comme une boutade saugrenue que seul un hurluberlu comme Zilu aurait jamais pu prendre au sérieux.

En fait – on le perd trop facilement de vue –, ce stéréotype qui réduit le lettré à un personnage éthéré et chlorotique est non seulement inexact – les exigences de la carrière administrative ont toujours obligé les intellectuels chinois à être d'infatigables et hardis voyageurs –, mais encore on oublie trop souvent qu'au moins jusqu'à l'époque Tang nombre de lettrés fameux étaient également bons cavaliers, gros buveurs, voire même francs bretteurs, et que cette fibre épique fut encore plus prononcée dans les périodes plus anciennes où la pratique des armes et des sports faisait d'ailleurs partie intégrante de la formation des hommes de qualité (à cet égard, il est révélateur de noter par exemple qu'à l'époque de Confucius l'expression « les Six arts libéraux » (*liu yi*) qui finira par ne plus désigner que l'étude livresque des six classiques, englobait encore le tir à l'arc et l'art de conduire les chars, mis sur le même pied que la liturgie, la musique, l'écriture et le calcul). Une histoire des variations de la sensibilité chinoise reste à écrire!

Un autre facteur a empêché la majorité des commentateurs – et, à leur suite, tous les traducteurs – de prendre au sérieux l'audacieuse proposition de Confucius (dont on connaît pourtant les longs et dangereux voyages), et c'est le mélange d'ignorance et de mépris qui a traditionnellement occulté les accomplissements de la navigation chinoise ancienne. Dans l'imagination des lecteurs plus tardifs, le radeau évoqué par Confucius ne pouvait donc plus être qu'un pathétique esquif abandonné au caprice des flots. Ce que ces lecteurs oublient, c'est que la technologie nautique a connu en Chine une longue et remarquable histoire (les vaisseaux des grands navigateurs occidentaux, depuis l'époque de Colomb, puis de Magellan et de Drake, jusqu'à celle de Cook et Bougainville, étaient bien primitifs en comparaison de leurs devanciers chinois des Song et des Ming – il faudra en fait attendre la seconde moitié du xixe siècle avec l'ère des clippers, puis celle des grands voiliers de fer des Laeisz et des Erikson, pour voir les navires à voiles occidentaux l'emporter enfin en taille et en rapidité sur les anciennes jonques de haute mer). Ces jonques elles-mêmes avaient eu pour ancêtres les radeaux dont il est question ici, et dont certains spécialistes se demandent aujourd'hui s'ils n'auraient pas réussi à atteindre le continent américain plusieurs siècles avant notre ère.

Dans les chapitres passionnants qu'il consacre à la technologie nautique de la Chine ancienne, Joseph Needham commente ainsi le passage des *Entretiens* qui nous concerne ici : « Soupirant devant la résistance que ses contemporains opposaient à ses enseignements éthiques et sociaux, le Maître dit qu'il allait embarquer sur un radeau [à voiles] et visiter les Neuf peuples barbares, dans l'espoir de trouver des auditeurs... La phrase concernant les Barbares fut ultérieurement ajoutée par des commentateurs, tels que le *Shuo wen* par exemple. Dans sa traduction, le grand Legge donna à entendre que Confucius avait eu l'intention de prendre un radeau pour se laisser dériver au hasard des mers. Sans doute ignorait-il qu'à l'époque de Confucius, il avait existé d'excellents bâtiments à voiles, mais c'est bien dommage qu'il ait ainsi, sans nécessité, induit les Occidentaux à commettre une fois de plus un stupide malentendu au sujet de la Chine. En fait, l'image du Sage affrontant les vagues d'une mer agitée avec sa haute voile gréée au tiers, et apportant le message d'un ordre social fondé sur la raison à des peuples encore esclaves de leurs superstitions, a quelque chose de positivement sublime. Un tel bâtiment aurait bien mérité le nom de " radeau étoilé " *(xing cha)* qui, dans l'usage chinois, fut appliqué longtemps plus tard aux vaisseaux des ambassadeurs. Et il aurait fort bien pu atteindre la côte du Mexique » (J. Needham, *Science and Civilisation in China,* Cambridge, 1971, vol. IV, part. 3, sections 28-29, p. 396).

v.8.

*Gongxi Chi* : disciple de Confucius; son surnom de courtoisie était Zihua. Il était célèbre pour son savoir en matière d'étiquette.

v.9.

*Il nous est supérieur à tous deux* : cette phrase peut également s'interpréter : « J'en conviens, il t'est supérieur. » Tout dépend de la façon dont on interprète le mot *yu* – l'un des plus riches d'ambiguïtés dans la langue de l'époque (en analysant le texte du *Gongyang zhuan*, G. Malmqvist a relevé neuf acceptions différentes de ce caractère; voir son étude « What did the Master say? » *in* D.T. Roy et T.H. Tsien (ed.), *Ancient China : Studies in Civilisation,* Hong Kong, 1978, p. 137-155). Ici, *yu* est soit la conjonction « et » (« toi *et* moi ne le valons pas »), soit le verbe « concéder », « approuver » (« je suis *d'accord avec* toi, tu ne le vaux pas »). La grammaire fait pencher pour la première solution; mais l'idée que le Maître lui-même ait pu se considérer

inférieur à l'un de ses disciples a paru un paradoxe troublant et inacceptable
à beaucoup de confucianistes de stricte observance.

### v.11.

*Shen Cheng* : disciple de Confucius? Des commentateurs pensent qu'il s'agit
peut-être de Shen Dang, qui figure dans la liste des disciples fournie par les
*Mémoires historiques*.

### v.13.

*La nature des choses* : en chinois *xing* – que la majorité des commentateurs
interprètent dans le sens de *ren xing*, « la nature humaine ». L'inconvénient
d'une telle traduction, c'est qu'elle est en flagrante contradiction avec tout
ce que nous savons des enseignements de Confucius : s'il est vrai de dire
que le Maître évitait systématiquement de parler du surnaturel, par contre
la nature humaine demeurait pour lui un constant sujet d'enquête, d'observation et de réflexion. Il semble donc plus approprié de prendre ici *xing*
dans un de ses sens premiers, la nature des choses, l'essence du réel.

Confucius aurait certainement approuvé Wittgenstein : « *Wovon man nicht
sprechen kann, darüber muss man schweigen* », « ce dont on ne peut parler,
qu'on se taise à ce sujet ». Le refus de parler de l'indicible n'implique pas
la négation de son existence, tout au contraire. Plusieurs passages des *Entretiens*
font d'ailleurs entrevoir le puissant élan mystique dont le Maître était possédé,
et dont seul *le silence* pouvait adéquatement rendre compte – la parole
n'étant, elle, appropriée que pour traiter du domaine politique social, psy-
chologique, culturel et historique *(wen zhang)* (voir par exemple xvii.19).

### v.15.

*Kong « le Civilisé »* : Kong Yu, un grand officier du pays de Wei, surnommé
Wen à titre posthume. Son comportement privé aurait laissé à désirer (si
l'on en croit le *Zuo zhuan*) – d'où la perplexité de Zigong.

### v.16.

*Zichan* : surnom de courtoisie de Gongsun Qiao, petit-fils du duc Mu de
Zheng, et lui-même brillant Premier ministre de Zheng.

### v.17.

*Yan Ying* : personnage célèbre – on trouve sa biographie dans les *Mémoires
historiques* –, grand officier du pays de Qi. Ce propos est ambigu ; quelques
commentateurs font de Yan Ying le sujet du verbe dans la dernière proposition, ce qui donne : « plus il fréquentait ses amis, plus il les respectait ».

### v.18.

*Zang Sunchen* : Grand officier du pays de Lu.

v.19.

*Ziwen* : surnom de courtoisie de Dougou Wutu.

*Cui Zhu et Chen Xuwu* étaient tous deux des grands officiers du pays de Qi.

v.20.

*Le seigneur Ji Wen* : grand officier du pays de Lu. Ce n'était pas un contemporain de Confucius; il était mort quelques années avant la naissance de celui-ci.

v.21.

*Le seigneur Ning Wu* : grand officier du pays de Wei; Wu est son surnom posthume. Pour survivre sous le règne d'un despote capricieux, le tout est de savoir faire la bête; à toutes les époques de chaos et de tyrannie, les Chinois ont prouvé qu'ils étaient passés maîtres dans cet art cynique et subtil : on en trouve de brillants échantillons, par exemple, chez les grands excentriques des Six dynasties, et de nos jours, sous la terreur maoïste on en a revu de nouvelles illustrations.

v.22

*Le pays de Chen* occupait une partie des actuelles provinces de Henan et Anhui. Confucius y séjourna un temps, au cours de ses longues et aventureuses pérégrinations à la recherche d'un souverain éclairé qui pût lui fournir l'occasion de mettre sa théorie politique en action. Confucius se rend compte maintenant que cette chance ne lui sera jamais accordée; le mieux qu'il lui reste à faire est de rentrer au pays et de transmettre son enseignement à une nouvelle génération.

v.23.

*Boyi et Shuqi* : personnages semi-légendaires, d'une intégrité exemplaire; ils s'exilèrent et se laissèrent mourir de faim par fidélité envers leur ancien souverain. Leur biographie est dans les *Mémoires historiques,* mais là précisément Sima Qian exprime une certaine perplexité concernant cette affirmation de Confucius, selon laquelle ils auraient été exempts de rancœur.

v.24.

*Weisheng Gao* : les commentateurs pensent qu'il s'agit du même Weisheng dont parlent Zhuang Zi et le *Zhan guo ce* (encore que *Wei* y soit écrit avec un autre caractère). Modèle de droiture, il avait donné rendez-vous à une jeune fille sous un pont; la fille ne parut pas, et l'eau se mit à monter. Obstinément fidèle à son engagement, Weisheng s'accrocha à un pilier du pont et se laissa noyer par la rivière en crue.

v.25.

*Zuoqiu Ming* : certains ont pensé qu'il s'agissait de l'auteur du *Zuo zhuan* ma   cette théorie n'est pas vraisemblable.

v.26.

*Que je puisse mériter la fidélité de mes amis ; que je puisse susciter l'affection des jeunes* : autre lecture possible : « Que je sois fidèle à mes amis, que je chérisse les jeunes. »

vi.1.

*L'étoffe d'un prince* : Ran Yong était un roturier (voir à ce sujet le commentaire du verset vi.6, *infra*). Le trait le plus révolutionnaire de la philosophie politique de Confucius consistait précisément dans la notion que le pouvoir devait être attribué non pas selon la naissance, mais bien selon le mérite.

vi.5.

*Yuan Xian* : disciple de Confucius ; surnom de courtoisie : Zisi.

vi.6.

*Ran Yong* : du fait de ses origines modestes, certains doutaient qu'il fût qualifié pour occuper de hautes responsabilités politiques. Confucius estime au contraire que ses seuls talents devraient constituer la meilleure des qualifications.

vi.9.

*Min Ziqian* : disciple de Confucius ; son prénom était Sun.

*La rivière* : la Wen, qui sépare le pays de Lu du pays de Qi.

vi.10.

*Boniu* : surnom de courtoisie de Ran Geng, disciple de Confucius. Sur l'identification de Boniu, voir D. Leslie : « Notes on the Analects », in *T'oung Pao*, vol. XLIX, 1961-1962.

Pourquoi cette dernière entrevue se fait-elle à travers une fenêtre ? Les commentateurs ont avancé de subtiles explications rituelles. Une raison plus simple tient peut-être dans la crainte de la contagion ? Se basant sur un passage du *Huainan zi*, Qian Mu se demande si la maladie dont Boniu était atteint n'était pas la lèpre.

vi.13.

*Clerc* : en chinois, *ru* ; dans la suite, ce mot est devenu synonyme de « lettré confucéen » ; il en viendra aussi à désigner l'ensemble de l'école confucéenne, voire la « religion » confucianiste. Mais que signifiait-il à l'époque de Confucius? Il s'agit probablement d'une sorte d'équivalent archaïque du concept moderne d'« intellectuel »; les fonctions du *ru* étaient soit politico-administratives, soit pédagogiques.

VI.15.

*Meng Zhifan* : cet épisode est également rapporté dans le *Zuo zhuan* (onzième année du duc Ai), mais là, le personnage en question est appelé Meng Zhice.

VI.21.

*Des hommes moyens* : dans mon interprétation de ce passage, je me range à l'opinion de Mao Zishui qui considère que dans la phrase *zhong ren yi shang* les mots *yi shang* ont été interpolés. (Voir Mao Zishui : « Lun yu li ji chu yan wen di ceyi », in *Qing Hua xue bao,* II, I, mai 1960.)

VI.22.

*Commence par le plus ardu...* : toute cette dernière phrase est assez obscure, et les commentaires ne sont pas d'un grand secours.

VI.25.

*Un vase carré qui serait rond* : adaptation assez libre d'un des propos les plus laconiques et les plus énigmatiques des *Entretiens.* Littéralement : « Le vase du type *gu* ne se présente pas comme un vase du type gu; vase du type *gu*! vase du type *gu*! » Le vase rituel *gu* devrait, comme son étymologie l'indique, présenter une forme angulaire; or, en pratique, il en est arrivé à désigner un type de vase parfaitement circulaire – ce qui fait penser que Confucius se sert ici de cet exemple pour illustrer un de ses thèmes fondamentaux : la nécessité de rétablir les « appellations correctes ». (Une seconde interprétation traditionnelle qui voudrait lire dans ce propos une mise en garde contre les excès de boisson paraît tout à fait fantaisiste.)

VI.26.

*Zai Yu demanda...* : tout ce verset est fort obscur. (A. Waley, par exemple, renonce tout simplement à le traduire et se borne à le paraphraser en partant de l'hypothèse – modérément convaincante – que Zai Yu et Confucius se livrent ici à un échange de calembours.)

VI.28.

*La concubine du duc Ling* : ces mots ne sont pas dans l'original; je me suis permis de les ajouter, explicitant ainsi pour le lecteur occidental une information dont dispose normalement tout lecteur chinois cultivé. Inutile de préciser que Nanzi avait très mauvaise réputation.

VII.1.

*Le vénérable Peng* : diverses identifications ont été avancées mais aucune n'est vraiment convaincante.

VII.5.

*Le duc de Zhou* (XIIᵉ siècle av. J.-C.) : fils du roi Wen, frère cadet du roi Wu, oncle du roi Cheng, et ancêtre fondateur de Lu, le pays de Confucius. C'est sur son sage avis que furent élaborées les principales institutions de la dynastie Zhou. Le duc de Zhou était le modèle par excellence que Confucius avait rêvé d'imiter dans sa carrière politique. L'âge venant, il se rend finalement compte que la chance ne lui sera plus donnée d'édifier une œuvre semblable.

VII.7.

*Un petit cadeau de viande séchée* : littéralement, « un paquet de dix tranches de viande séchée » — cadeau modeste et purement symbolique, les élèves pauvres n'ayant pas les moyens d'offrir au Maître une rétribution réelle.

VII.11.

*Qui vous choisiriez-vous pour lieutenant?* : Zilu qui, comme on l'a déjà vu, brillait plus par l'audace impulsive que par le jugement, quête ici un compliment; évidemment, il se voit d'avance sélectionné comme bras droit du général en chef Confucius. Mais ce dernier, qui a deviné son jeu, en profite pour lui faire sarcastiquement la leçon

VII.12.

*Palefrenier* : littéralement, « le préposé qui tient le fouet ». D'après le *Livre des rites*. il s'agissait d'une sorte de licteur ouvrant la voie au roi et aux grands vassaux. Le même terme désignait également les gardiens du marché, dont le statut tenait à la fois du concierge et de l'agent de police. La traduction, souvent rencontrée, de « cocher » ou de « palefrenier » n'est donc pas correcte au sens strict; si je l'adopte pourtant ici, c'est que, finalement, elle suggère mieux l'idée à exprimer — celle d'un emploi humble et subalterne.

VII.14.

*L'Hymne du couronnement de Shun* · littéralement, « la musique *shao* ». Voir III.25.

VII.15.

*Le duc de Wei* : il s'agit du duc Chu, petit-fils du duc Ling, et fils d'un prince héritier tombé en disgrâce. Ce dernier étant revenu revendiquer le trône, la légitimité du pouvoir de Chu pouvait être mise en doute, puisqu'il occupait la place qui revenait en fait à son père.

*Boyi et Shuqi* : voir v.23. Déterminés à s'effacer chacun au profit de l'autre, les deux frères renoncèrent simultanément à la succession paternelle. Purs de toute ambition, modèles d'intégrité, ils se laissèrent mourir de faim sur une montagne plutôt que de transiger avec leurs principes. Boyi et Shuqi fournissent un étalon moral pour juger l'univers politique ; on estimera leur fin glorieuse ou lamentable selon que l'on partage ou non leur hiérarchie des valeurs.

Noter ici l'art de traiter d'un sujet par le biais d'un autre, apparemment sans rapport : Zigong sonde Confucius sur un délicat et dangereux problème d'actualité politique, *sans en faire explicitement mention* ; et Confucius réussit à prendre position sans équivoque, *tout en parlant d'autre chose*. Deux mille cinq cents ans plus tard, les débats politiques de Chine populaire ne procèdent pas autrement.

VII.17.

Ce propos se prête à différentes lectures. La principale variante pourrait se rendre : « Donnez-moi quelques années de plus ; de cette façon, j'aurai pu étudier cinquante ans, et aussi, je pourrai éviter toute faute grave. » Le caractère *yi* désignant le titre du [*Canon des*] *mutations* est alors remplacé par un autre *yi,* simple adverbe, signifiant « aussi ». Il ne déplaît pas à certains esprits rationalistes d'évacuer ainsi le *Canon des mutations* d'un propos qui en constituerait sinon la plus solennelle des consécrations. En fait, malgré sa désespérante obscurité et son mysticisme ésotérique, le *Canon des mutations* demeure le document le plus ancien, le plus vénérable et le plus fondamental de toute la culture chinoise. Que Confucius lui ait accordé une place exceptionnelle apparaît donc tout à fait dans l'ordre des choses.

VII.18.

Dans la vie de tous les jours, Confucius s'exprimait en dialecte. La « langue correcte » est l'équivalent antique de la langue « mandarine » de la Chine impériale, ou de la langue « nationale » de la Chine contemporaine. Cet usage parallèle du dialecte dans la vie privée et de la langue nationale dans la vie publique persiste aujourd'hui encore en Chine, même parmi les élites (et explique d'ailleurs en partie pourquoi tant de personnalités dirigeantes tiennent particulièrement à s'entourer d'individus issus de leur propre province).

VII.19.

*Le gouverneur de She* (littéralement : « le duc de She ») : Shen Zhuliang ; surnom de courtoisie : Zigao. Le territoire de She, dans l'actuel Henan, dépendait alors du pays de Chu. Après que le souverain de Chu eut pris le titre de roi, le gouverneur de She s'intitula duc. Le *Zuo zhuan* mentionne ce personnage à plusieurs reprises; il avait une certaine réputation de sagesse.

La façon dont Confucius choisit de se décrire lui-même est saisissante. Ce qui devrait le définir avant tout, estime-t-il, c'est l'enthousiasme et la joie, ainsi qu'une énergie passionnée qui le maintient dans une sorte de perpétuelle jeunesse. On est aux antipodes de l'image du vieux pédant réactionnaire et rabâcheur que le mouvement anticonfucéen devait finalement réussir à imposer à l'époque moderne. À cet égard, il faut signaler que, parmi les intellectuels révolutionnaires de la génération du « Quatre Mai », il y en eut pourtant un qui, à l'encontre de tous ses contemporains, continua à percevoir et célébrer cet aspect héroïque et quasi prométhéen présenté par la figure de Confucius; curieux paradoxe, il s'agit de Guo Moruo. Dans un texte de 1923, Guo proclamait son admiration pour le Maître en des termes qui n'ont pas d'équivalent à cette époque : « Confucius a réussi à développer sa personnalité au maximum, aussi bien en profondeur qu'en étendue... Sa vie même fut comme un magnifique poème. Nos poètes modernes avec leurs névroses ne sauraient rivaliser avec sa force physique. L'harmonie et la perfection de son corps complétaient celles de son esprit. Il avait la force d'un Samson... » Et Guo concluait en résumant le « message du cœur » qu'il croyait pouvoir lire chez Confucius : « Voir toute existence comme la réalisation concrète du dynamisme! S'engager dans toute entreprise pour le libre accomplissement du Moi! » (Sur cette question, voir l'intéressante étude de Leo Lee : *The Romantic Generation of Modern Chinese Writers*, Harvard University Press, 1973, p. 186.)

VII.23.

*Huan Tui* : officiel du pays de Song, qui essaya d'assassiner Confucius. L'épisode est brièvement relaté dans les *Mémoires historiques* de Sima Qian (dans la traduction Chavannes, voir vol. V, p. 336-337).

VII.25.

*Le Maître enseignait au moyen de quatre choses* : autre interprétation : « Le Maître enseignait quatre sujets. »

VII.27

Il s'agit de laisser leurs chances aux poissons et au gibier. Il y a une soixantaine d'années, dans un article auquel Lu Xun devait faire une spirituelle et célèbre réponse, Lin Yutang avait suggéré d'importer en Chine la notion de *fair-play*. En fait, si l'on en juge par ce passage, il semble bien que Confucius observait déjà ce principe quelque cinq siècles avant notre ère.

VII.29.

*Huxiang* : l'endroit n'est pas identifié.

La fin de ce propos peut signifier, soit, « nous ne pouvons pas pour autant nous porter garants de son passé », soit, « nous ne pouvons pas pour autant nous porter garants de son futur. »

VII.31.

*Chen Sibai* : le personnage n'est pas identifié par ailleurs. Au lieu de voir ici le nom d'une personne, beaucoup interprètent ces trois caractères dans le sens, « le ministre de la Justice du pays de Chen ». Mais il n'existe aucune source qui nous autorise à prendre *sibai* pour un équivalent de « ministre de la Justice » *(sikou)*.

*Wuma Shi* : disciple de Confucius; son surnom de courtoisie était Ziqi.

Confucius est évidemment au courant de la façon donc le duc Zhao avait enfreint le tabou rituel qui lui interdisait d'épouser une femme portant le même patronyme que lui. Seulement, il aurait été indécent pour lui de blâmer son souverain devant un tiers. Son propos final (« J'ai bien de la chance... ») est sarcastique.

Devant un étranger, on ne critique ni son père, ni son souverain, si criminels qu'ils puissent être. Ce point de morale confucéenne conserve une singulière vitalité aujourd'hui encore, et peut expliquer en partie, par exemple, le silence que conservent sur le compte de Mao quelques-unes de ses plus éminentes victimes.

VII.33.

*Savoir livresque* : *(wen)* autrefois, la plupart des commentateurs ponctuaient ce passage différemment et lisaient *wenmo, wu...,* au lieu de *wen, mo wu...* Ils interprétaient (non sans contorsions sémantiques) ce mystérieux *wenmo* (qui ne se rencontre nulle part ailleurs) dans le sens de « zèle », « effort », ce qui permet alors de traduire : « Pour ce qui est de la bonne volonté, j'en vaux bien un autre. »

Dans l'interprétation adoptée ici, *mo* signifierait « de façon générale », « dans l'ensemble ». Cette lecture n'est pas entièrement convaincante, mais elle paraît quand même moins tirée par les cheveux.

VII.35.

Waley commente : « Ce qui me justifie aux yeux du Ciel, c'est la vie que j'ai menée. Ce rite n'est nullement nécessaire maintenant. »

VII.36.

Autre interpretation (voir par exemple Anne Cheng) : « La prodigalité mène à la présomption, la frugalité mène à la mesquinerie. Plutôt être mesquin que présomptueux. » Le propos viserait alors la pratique des rites dans les familles aristocratiques : plutôt rester en deçà des limites prescrites, qu'usurper les prérogatives du rang supérieur (comme le chef du clan Ji, voir III.1).

VIII.1.

*Taibo* : fils aîné de l'ancêtre fondateur de la dynastie Zhou, il s'effaça volontairement au profit de son frère cadet pour permettre au fils de ce dernier d'accéder finalement au trône (roi Wen) conformément au vœu secret de l'ancêtre. La renonciation au pouvoir est la vertu suprême de l'homme d'État, et elle est d'autant plus sublime qu'elle s'effectue de façon plus secrète.

VIII.3.

*Voyez mes pieds, voyez mes mains* : la piété filiale prescrit à l'homme qui va mourir de présenter intact et complet le corps qu'il avait reçu de ses parents à sa naissance.

*Les Poèmes* : voir *Canon des poèmes, Xiao ya, Xiao min.*

VIII.5.

*J'avais autrefois un ami* : selon la tradition, il s'agirait de Yan Hui.

VIII.14.

On pourrait traduire également : « Ne discutez pas les décisions qui ne sont pas de votre ressort. »

VIII.15.

*Zhi* : identifié par certains comme le précepteur de la Cour de Lu, pour d'autres, il s'agirait du maître de musique.

VIII.18.

*Yu* : saint fondateur de la dynastie mythique des Xia (III$^e$ millénaire av. J.-C.).

VIII.20.

*Shun n'en trouva que cinq* : ces mots ne sont pas dans le texte original ; on les a ajoutés ici pour expliciter le sens du passage.

CHAPITRE IX

IX.1.

Une majorité de commentateurs et de traducteurs lisent ce propos : « Le Maître parlait rarement du profit, *et* de la volonté céleste, *et* de l'humanité. »

Cette lecture interprète deux fois le mot *yu* dans le sens de « et ». Qian Mu au contraire suggère de prendre *yu* dans le sens du verbe « se ranger du côté de », « approuver », « célébrer »; cette dernière lecture est grammaticalement possible, bien qu'assez artificielle. Si je m'y rallie ici, c'est pour la simple raison que la première interprétation, toute grammaticale qu'elle puisse paraître, est parfaitement dénuée de sens. Il est bien vrai que Confucius parle rarement de profit et qu'il désapprouve ceux qui prennent le profit pour guide et mesure de leurs actes, mais il est non moins évident qu'il parle fréquemment de la volonté céleste, et constamment de l'humanité *(ren)* — ce dernier concept constitue la pierre d'angle de sa pensée : le terme apparaît 109 fois dans le cours des *Entretiens*, c'est-à-dire plus souvent même que celui d'« honnête homme », *junzi* (107 fois), de « voie/vérité », *dao* (60 fois) ou de « vertu », *de* (38 fois)! Dire que Confucius plaçait sur le même pied le profit et l'humanité, et qu'il parlait aussi peu de l'un que de l'autre, constitue donc une double absurdité. Les commentateurs en ont du reste eu conscience, et ont tâché de résoudre cette difficulté en composant des gloses variées qui font honneur à leur imagination, mais ne reposent malheureusement sur rien de plus substantiel. À mon sens, il n'y a donc que deux partis possibles : soit adopter l'interprétation de Qian Mu (comme j'ai fait dans ma traduction), soit considérer que ce propos a été rendu définitivement incohérent par une ancienne erreur de copiste. (Pour une discussion des diverses interprétations de *yu* dans ce propos, voir l'article de G. Malmqvist, cité plus haut, note v.9, et aussi D. Bodde : « A Perplexing Passage in The Confucian Analects », in *Journal of the American Oriental Society*, 53.4, 1933, p. 347-351.)

ix.2.

*L'art de conduire les chars et le tir à l'arc* : Confucius est sarcastique. L'ironie de ce propos est à rapprocher du mépris pour les compétences spécialisées, exprimé plus loin, ix.6.

ix.5.

*En danger à Kuang* : Confucius faillit se faire lyncher par la population de cette bourgade frontière, qui l'avait pris pour Yang Huo, un aventurier qui avait précédemment ravagé la région. (Sur Yang Huo, voir xvii.1.)

ix.8.

Je suis d'accord avec D.C. Lau : « Tout ce passage est extrêmement obscur et la traduction en est conjecturale. »

ix.9.

*Le phénix n'est pas apparu...* : l'apparition du phénix et la transmission d'une charte magique émanant du fleuve Jaune constituaient des augures fastes, annonçant la venue d'un Sage et l'approche d'un âge de paix universelle. Confucius qui s'était senti investi d'une vocation cosmique (voir ix.5, par exemple) comprend, au soir de sa vie, qu'il ne lui sera plus donné d'accomplir la mission pour laquelle il s'était préparé.

IX.10.

*Il s'effaçait respectueusement* : littéralement, « il pressait le pas » – convention de politesse que je transpose en son équivalent moderne.

IX.12.

*Qu'on emploie dans les funérailles princières* : ces mots ne sont pas dans le texte, mais ils en explicitent le sens.

IX.13.

*Un jade précieux* symbolise les talents du sage. Confucius n'est nullement enclin à garder sa lumière sous le boisseau, ni son jade dans un écrin : s'il ne poursuit pas une carrière publique, c'est bien malgré lui, et parce qu'il n'a pas rencontré de prince éclairé, capable d'employer ses services.

IX.14.

*Émigrer chez les Barbares* : cette impulsion est à rapprocher de celle qui a été exprimée plus haut, v.7 : « La Voie ne réussit pas à s'imposer. Je vais m'embarquer sur un radeau de haute mer et prendre le large... »

IX.15.

*Les pièces de Cour d'une part, les hymnes de l'autre* : ce propos fait allusion à deux sections du *Canon des poèmes,* mais il est difficile de déterminer s'il s'agit ici d'une compilation des textes ou de leur musique.

IX.21.

*Je ne l'ai pas vu aboutir* : autre traduction possible (plus littérale) : « je ne l'ai jamais vu s'arrêter » (à rapprocher alors de IX.19 : éloge de l'effort qui ne se relâche pas).
La traduction que j'adopte ici se réfère à la tragédie que représenta pour Confucius la mort précoce de Yan Hui, le disciple bien-aimé, qui n'eut pas la chance d'accomplir son exceptionnelle promesse. Le propos suivant (IX.22) constituerait alors la continuation directe de cette réflexion sur le destin interrompu de Yan Hui.

IX.24.

Propos obscur, traduction tâtonnante...

IX.25.

Ce propos répète partiellement I.8.

IX.27.

*Sans jalousie et sans convoitise...* : ces deux vers viennent du *Canon des poèmes, Wei feng, Xiong zhi.*

IX.31.

*La fleur de cerisier...* : ce poème ne figure pas dans le *Canon des poèmes* tel que nous le connaissons.

Le vrai problème n'est pas notre éloignement du but, mais le degré de otre zèle.

## x.5.

*Quand il tenait le sceptre de jade* : cette section décrit probablement les missions diplomatiques à l'étranger.

## x.6.

*Pas de revers mauves ni violets* : couleurs à éviter, car proches du noir qui, lui, est réservé pour les vêtements rituels et officiels. Le rose et le pourpre doivent être évités, car proches du rouge dont la connotation est trop luxueuse.

Certains préjugés qui veulent faire de Confucius un pète-sec lugubre et ridicule ont pris source dans ce chapitre x. Il faut noter en fait que ce chapitre comporte deux types de propos : d'une part des passages *descriptifs* qui traitent du comportement habituel de Confucius, et d'autre part des passages *prescriptifs,* lesquels ne semblent pas avoir grand-chose à voir avec la personne historique de Confucius, mais constituent simplement une sorte de manuel de savoir-vivre à l'usage de l'homme de qualité. Dans tout le chapitre, j'ai traduit les passages du premier type au passé, et ceux du second, au présent – bien que la distinction ne soit pas toujours nette.

*Sa chemise de nuit lui vient jusqu'aux genoux* : pratiquement tous les commentateurs et traducteurs, à l'exception de Qian Mu, interprètent littéralement : « Sa chemise de nuit a une fois et demie la longueur de son corps. » Cette longueur apparemment excessive a même fait penser à certains qu'il ne s'agissait pas d'une chemise de nuit mais d'un édredon ! Je me rallie à l'interprétation de Qian Mu qui rappelle que, pour les Anciens, « corps » avait deux sens : 1) ce qui va de la tête aux pieds ; 2) ce qui va du cou à la taille. Si l'on prend « corps » dans la seconde acception, l'expression employée ici (« une fois et demie la longueur du corps ») ferait donc venir la chemise de nuit de l'honnête homme à peu près jusqu'à ses genoux – ce qui paraît effectivement une honnête longueur.

*Ses vêtements sont coupés* : ils sont faits de pièces rapportées et cousues, à la différence des robes rituelles qui sont d'une pièce.

*Toque d'agneau et barrette de soie noire* : l'une et l'autre sont noires, couleur absolument contre-indiquée pour des funérailles.

## x.8.

*Il ne se gave pas* : de nombreux commentateurs et traducteurs interprètent : « Il n'a pas d'objection à l'encontre du riz fin et de la viande délicate. » Le caractère *yan* peut se lire de deux façons : 1) détester; 2) s'empiffrer. Il n'a acquis deux graphies distinctes qu'à une époque ultérieure.

*S'ils ne sont pas servis à l'heure* : autre lecture possible : « Si les mets ne sont pas de saison. »

## x.17.

*Il ne s'informa pas des chevaux* : splendide affirmation de l'humanisme confucéen. Pour en mesurer tout le poids, il faut se rappeler qu'à l'époque de Confucius un cheval valait beaucoup plus qu'un valet d'écurie.

Un commentateur d'époque tardive a essayé de ponctuer ce passage différemment; au lieu de lire *Shang ren hu? Bu wen ma,* il suggéra *Shang ren hu bu? Wen Ma* – ce qui pourrait se traduire : « Il demanda : " Y a-t-il eu quelqu'un de blessé? " Puis il s'enquit des chevaux. » L'idée de ce commentateur était que le Sage suprême avait souci de *toutes* les créatures; dans l'ordre, il s'était donc informé d'abord des hommes, et puis des bêtes. Que Confucius ait pu être sensible *aussi* au sort des chevaux rencontrerait assurément un écho en Occident – de saint François d'Assise à la reine d'Angleterre –, malheureusement rien ne justifie cette lecture qui repose sur un grossier anachronisme grammatical, et n'a jamais été retenue par personne d'autre, sinon pour servir d'exemple amusant et curieux des ambiguïtés qui peuvent résulter de l'absence de ponctuation du chinois classique.

## x.21.

Reprise de la première phrase de iii.15.

## x.23

*Sacrifice aux ancêtres* : les deux derniers mots ne sont pas dans le texte.

## x.25.

*Un homme en deuil* : presque tous les commentateurs et traducteurs lisent : « Un homme portant une coiffe officielle. » Mais *mian*, « coiffe officielle », peut aussi être un substitut de *wen*, « vêtements de deuil » – et c'est dans ce sens-là que Qian Mu l'interprète ici. Cette dernière lecture me semble justifiée par le contexte.

*Quiconque portait une tunique funèbre, ne fût-il qu'un colporteur* : la plupart des commentateurs et traducteurs proposent : « il s'inclinait du haut de son char pour quiconque était en deuil; il s'inclinait du haut de son char pour les porteurs de documents officiels ». J'avoue que les « documents officiels » *(ban)* me laissent perplexe et je préfère le « colporteur » *(fan)* suggéré par Qian Mu. Cette dernière lecture, toutefois, n'est pas entièrement satisfaisante (le second *shi!*), mais elle est plausible et s'inscrit mieux dans le contexte.

*Il se levait pour remercier* : les deux derniers mots ne sont pas dans le texte.

*Un orage soudain, une bourrasque violente* : ce sont des messages du Ciel.

**x.27.**

*Battit trois fois des ailes* : autres interprétations : « flaira trois fois », « regarda trois fois », « cria trois fois ».

L'obscurité hermétique de cette section a agi comme un redoutable excitant sur l'imagination des commentateurs. Ce passage traite peut-être de la circonspection avec laquelle le Sage itinérant doit choisir son point d'atterrissage, et de la vigilance avec laquelle il doit demeurer prêt à reprendre son vol à la première alerte – mais le texte semble incomplet et corrompu.


CHAPITRE XI


**xi.1.**

*Les roturiers doivent commencer par apprendre...* : sens incertain. Selon d'autres interprétations, il s'agirait tantôt d'une opposition entre les Anciens et les Modernes, tantôt d'une opposition entre les premiers disciples de Confucius et ses disciples plus tardifs. Une chose paraît certaine : nous avons ici un clair exemple de l'emploi du terme *junzi* pris dans son sens premier, purement social, de « gentilhomme », « aristocrate », et donc privé de la connotation de supériorité morale qui ne s'attache qu'au *junzi* dans son sens second, spécifiquement confucéen, d'« homme de bien » ou d'« honnête homme ».

**xi.2.**

*Il n'en est plus un qui fréquente encore ma maison* : traduction littérale; si l'on accepte cette interprétation, Confucius soit se plaindrait d'une ingratitude de ses anciens disciples (mais on voit mal de quoi il pourrait s'agir), soit ferait simplement une considération mélancolique sur le passage des années : une génération est partie, une autre la remplace. Autre interprétation : « aucun ne disposait de relations influentes dans le pays » – Confucius attribuerait alors rétrospectivement les graves difficultés qu'il avait rencontrées à Chen au fait qu'il n'avait pas bénéficié de connexions à la cour locale. Mencius a précisément fait cette observation (*Mencius,* vii, 2, 18), mais, pour lire ce propos-ci dans ce sens-là, il faut vraiment forcer le sens des mots. La même objection s'applique à la lecture : « Aucun n'a obtenu d'emploi officiel. »

**xi.3.**

*Se distinguant par la vertu...* : ce verset est traditionnellement rattaché au précédent; en fait il constitue un ensemble distinct. Il faut noter en premier lieu que les dix disciples mentionnés ici n'avaient pas tous été à Chen et à

Cai, et en second lieu, que ce verset ne constitue nullement un propos de Confucius (comme l'atteste la forme de courtoisie adoptée ici pour les appellations individuelles au lieu de la forme familière), mais bien un commentaire dû aux premiers compilateurs des *Entretiens*.

### xi.6.

*Les vers* : je les reproduis en entier pour expliciter le sens de ce passage ; le texte original des *Entretiens* n'en cite que deux mots. Ces quatre vers proviennent du *Canon des poèmes (Da ya, Yi)*. Nangong Kuo, on l'a déjà vu plus haut (v.2), se distinguait par sa circonspection.

### xi.11.

*Je n'ai pu le traiter comme un fils* : c'est-à-dire, je n'ai pu lui donner l'enterrement simple qui convenait à sa modeste position.

### xi.13bis.

*Un homme comme Zilu* : ce propos est habituellement rattaché au verset précédent ; en fait, il constitue manifestement un ensemble distinct. Le propos de Confucius était prophétique : Zilu mourut de mort violente durant les luttes pour la succession de Wei (480 av. J.-C.).

### xi.14.

*Le Long Entrepôt* : ce bâtiment avait servi de base défensive au souverain légitime de Lu contre les menées ambitieuses du clan de Ji. La proposition de Min Ziqian exprime de façon voilée une volonté de demeurer fidèle à l'autorité légitime.

### xi.15.

*La cithare de Zilu* : ce que Confucius désapprouve, ce n'est pas le fait que Zilu joue de la cithare, mais son répertoire d'airs martiaux.

*Le porche et la chambre intérieure* : Zilu est dans la bonne voie, mais il est encore loin du but.

### xi.18.

*Zigao* : prénom de courtoisie de Gao Chai, disciple de Confucius.

### xi.19.

*Zigong n'a pas accepté son sort* : le sens de ce passage est incertain.

### xi.20.

*La voie-de-l'homme-bon* : Waley se demande s'il ne s'agit pas d'une doctrine rivale. Quoi qu'il en soit, Confucius lui concède un mérite certain, mais une portée limitée. Ce même propos est parfois traduit : « à moins de suivre les traces des Anciens, on ne saurait accéder à la chambre intérieure », mais cette lecture paraît grammaticalement incorrecte.

Sur l « homme bon », voir également vII.26 et xIII 11.

xI 21

*Son discours est honnête* : Confucius soit parlait d'un individu dont l identification s'est ultérieurement perdue; soit il formule un principe général : ne jugez pas les gens sur leurs belles paroles, mais sur leur comportement.

xI 22

*Zilu demanda...* : ce passage fournit un admirable exemple de la pédagogie flexible qui est si caractéristique du Maître : on ne dit pas les mêmes choses à des gens différents.

xI 23.

*En danger à Kuang* : sur cette aventure qui faillit lui coûter la vie, voir ix 5.

xI.24.

*Ji Ziran* : membre de ce clan de Ji dont Confucius désapprouvait l'arrogance brutale, et au service duquel Zilu et Ran Qiu étaient employés. Voir également xvI.1.

xI.25.

*C'est jouer un mauvais tour à ce garçon* : Zigao se voit confier une charge avant d'avoir parachevé ses études.

*Les beaux esprits de votre espèce* : Zilu avait eu l'impudence de resservir à Confucius un des propos du Maître, mais qu'il avait ironiquement accommodé à sa propre sauce. Cette idée que l'étude englobe bien plus que le seul savoir livresque est un principe fréquemment réaffirmé par Confucius : voir par exemple i.14.

xI.26.

*Zeng Dian* : prénom de courtoisie : Xi, disciple de Confucius, et père de Maître Zeng (Zeng Shen).

*Un État pas trop petit* : littéralement, un État de mille chars (voir également i.5, note).

*Ah comme je te comprends.* : on pourrait également traduire : « je suis avec toi », « je suis d'accord », « je t'approuve ». Dans cet admirable passage, d'une importance philosophique (et littéraire, et esthétique!) fondamentale, cette exclamation de Confucius, spontanée et paradoxale, marque un point culminant. Une lecture incomplète ou superficielle des *Entretiens* fait parfois croire que Confucius était une sorte de pédant formaliste et vétilleux, ou pire, un activiste imbu de l'importance de ses entreprises, et perpétuellement dévoré d'un prurit de bien-agir. La réalité est toute différente : le Confucius intime qui se découvre ici est un homme pour qui *les valeurs de contemplation priment toutes les autres*. Notons que les penseurs néo-confucéens des Song et des Ming, sous l'influence du bouddhisme Chan (« Zen ») qu'ils s'efforçaient d'intégrer dans leur philosophie, attachèrent une importance toute particulière à ce célèbre passage.

XII.5.

*Sima Niu se lamentait* : les commentateurs ont traditionnellement pensé qu'il s'agissait d'un Sima Niu dont il est question dans le *Zuo zhuan*; or, ce personnage-là avait plusieurs frères (dont l'affreux Huan Tui déjà évoqué plus haut, VII.23). Si l'on accepte cette identification, la lamentation de Sima Niu aurait été pour lui une vertueuse façon de se désolidariser de ses frères qui s'étaient rendus coupables de rébellion. Mais en fait, comme Yang Bojun le montre de façon persuasive, cette identification paraît parfaitement arbitraire. Sur Sima Niu, tenons-nous-en donc simplement aux informations laconiques des *Mémoires historiques* : disciple de Confucius, prénom Geng, surnom de courtoisie : Ziniu. D. Leslie (« Notes on the Analects », *T'oung Pao*, vol. IL, 1961-1962) doute également que le Sima Niu des *Entretiens* soit le Sima Niu du *Zuo zhuan*; mais il va plus loin, et se demande si Sima Niu et Ran Boniu ne seraient pas un seul et même individu. Le problème, évidemment, est que cette hypothèse contredit l'information des *Mémoires historiques* où Sima Niu et Ran Boniu apparaissent comme deux personnages distincts.

Notons par ailleurs que c'est ce fameux passage qui se trouve à l'origine de l'idée courante que Confucius aurait déclaré : « Tous les hommes sont frères. » En fait, comme on le voit, le propos est quelque peu différent, et il n'est pas de Confucius. (Bien que littéralement inexacte, cette notion populaire n'est toutefois pas en contradiction avec l'esprit de la sagesse confucéenne.)

XII.8.

*Ji Zicheng* : dignitaire du pays de Wei.

*Voilà un mot regrettable* : entre cette phrase et la suivante sont insérés les trois mots, *jun zi ye*, que j'ai omis dans ma traduction, ne pouvant trancher entre trois sens possibles : 1) Vous parlez en honnête homme, mais ce que vous avez dit est regrettable; 2) Ce que vous avez dit au sujet de l'honnête homme est regrettable; 3) Il est regrettable que vous ayez dit cela; car quand un honnête homme a parlé, un attelage de quatre chevaux ne pourrait rattraper ses paroles. (Aujourd'hui les grammairiens considèrent que seule la lecture n° 2 est correcte, quoique la lecture n° 3 ne soit pas impossible. Selon eux, la lecture n° 1 est à exclure; mais il faut pourtant remarquer que c'était celle de Zhu Xi. Évidemment, Zhu Xi n'était pas grammairien...)

*Comme sa bigarrure tient au tigre* : ces mots ne sont pas dans le texte, mais ils explicitent le double sens de *wen* − « culture » au sens dérivé, mais « bigarrure [du pelage d'un animal] » au sens premier.

XII.10.

*Zizhang demanda* : la question porte, semble-t-il, sur le sens de deux expressions conventionnelles (que Zizhang aurait rencontrées dans un texte?). La signification du passage n'est pas très claire.

*Si ce n'est pas pour sa richesse...* : ces deux vers sont extraits du *Canon des poèmes* (il s'agit d'une femme qui soupçonne son mari de vouloir prendre une nouvelle épouse, pour l'une ou l'autre de ces deux raisons). On ne voit pas bien ce que cette citation vient faire ici ; certains commentateurs pensent que c'est par une erreur de copiste qu'elle aurait été arbitrairement rattachée à la fin de ce verset.

XII.11.

*Comment pourrais-je être sûr de rien* : littéralement : « Même si j'avais du grain, est-ce que je pourrais manger ? »

XII.12.

*Zilu ne dormait jamais sur une promesse* : il n'en remettait jamais l'exécution au lendemain.

XII.15.

Reprise avec une légère variante, de VI.27.

XII.17.

*Gouvernement est synonyme de droiture* : en chinois, « gouvernement » et « droiture » sont homophones *(zheng)*. Comme on l'a déjà vu, les « jeux de mots » (le terme est malencontreux, mais quelle autre expression employer?) occupent une place importante dans la pensée chinoise ancienne.

XII.22.

*Choisissez ceux qui sont droits...* : reprise développée de II.19.

CHAPITRE XIII

XIII.3

*Rectifier les noms* : l'usage correct du langage fonde l'ordre social et politique – notion capitale de la pensée confucéenne, qui d'ailleurs ne paraîtra pas étrangère aujourd'hui aux lecteurs de Chesterton et d'Orwell.

XIII.4.

*Les gens affluent de toutes parts* : à l'époque de Confucius la puissance et la prospérité d'un État étaient directement fonction du chiffre de sa population. Les paysans fournissaient une masse de contribuables et de mobilisables, mais ils n'étaient pas attachés à la glèbe; aussi, quand ils n'étaient pas satisfaits de leur gouvernement, il leur restait au moins le recours de voter avec leurs pieds. Ces mouvements de population sanctionnaient toute la vie politique : la vertu d'un souverain se mesurait au nombre de sujets qu'il réussissait à attirer et à fixer sur son territoire.

XIII.5.

*Il se montre incapable de donner la réplique* : à l'époque, les dialogues diplomatiques se faisaient conventionnellement au moyen de citations du *Canon des poèmes* – citations tout à fait arbitraires du reste, et entièrement détachées de leur contexte, un peu comme ces citations de Shakespeare qui, dans *Brave New World,* fournissaient au « Sauvage » de Huxley le langage de sa conversation journalière. (Sur ce sujet, voir également II.2.)

XIII.7.

*En politique, Lu et Wei sont frères* : le propos a donné lieu à des commentaires divers. Il semble que Confucius compare ici la situation de décadence et de désordre dont souffraient les deux États.

XIII.9.

*Quelle population nombreuse* : voir note XIII.4.

XIII.13.

*Qui se tient dans la rectitude* : tout ce propos développe un « jeu de mots » fondé sur l'homonymie de *zheng,* « rectitude », et *zheng,* « gouvernement ».

XIII.14.

*Ran Qiu revenait de la Cour* : Ran Qiu était au service du clan Ji qui avait usurpé le pouvoir réel. Aux yeux de Confucius, l'autorité des Ji était illégitime, et donc l'activité de Ran Qiu ne pouvait constituer une authentique responsabilité gouvernementale.

XIII.16.

*Les populations voisines affluent* : voir note XIII.4.

XIII.17.

*Jufu* : ville du pays de Lu.

XIII.18.

*Un homme d'une droiture inflexible* : divers commentateurs et traducteurs interprètent cette périphrase comme un nom propre, mais cette lecture ne semble pas devoir être retenue.

XIII.21.

*Les timides* : une majorité de commentateurs adopte cette interprétation, mais le sens du mot *juan* n'est pas absolument certain.

*Un rebouteux* : beaucoup de commentateurs interprètent *wu yi* comme deux termes distincts : « des devins et des médecins ». En fait, il semble préférable de lire ces deux mots comme un seul terme (sur le modèle de l'expression moderne *ru yi,* « médecin de médecine traditionnelle ») : « chaman » *(medicine-man).* Au pays de Chu, les chamans combinaient les fonctions de devin avec celles de médecin.

Le propos se prête à deux lectures : soit, c'est la fonction de devin-médecin qui est si importante qu'elle requiert une constance particulière. Soit, c'est la vertu de constance qui est si fondamentale et universelle, que, sans elle, nulle tâche ne saurait être menée à bien, pas même celle, pourtant modeste, de rebouteux chez les sauvages du Sud. C'est cette seconde interprétation qui a été adoptée ici.

*Dans les* Mutations, *il est dit* : ces six mots ne sont pas dans l'original, mais ils explicitent le sens de ce qui suit. Confucius commente ici le texte de la troisième ligne du trente-deuxième hexagramme du *Canon des mutations.*

CHAPITRE XIV

XIV.1.

*Servez-le* : on pourrait traduire un peu plus littéralement, « touchez un traitement de fonctionnaire » *(gu).* Cette expression a elle-même donné lieu à une autre interprétation de tout le passage. « Que le gouvernement ait des principes ou non, la honte serait de ne s'intéresser qu'à son traitement de fonctionnaire. » Cette dernière lecture a été acceptée par plusieurs commentateurs. Deux raisons nous la font rejeter; la première est d'ordre stylistique : la dichotomie, *le gouvernement a des principes... le gouvernement est sans principes,* qui intervient plusieurs fois (voir par exemple XIV.3) entraîne généralement des conclusions opposées (ici : il est honorable ou il est honteux de servir); la seconde raison est d'ordre logique : s'il est honteux de n'avoir en tête que des considérations de salaire, on voit mal en quoi ce principe pourrait être affecté par ailleurs par le fait que le pays soit bien ou mal gouverné.

XIV.5.

*Yi était bon archer et Ao bon marin* : héros mythologiques. En ce qui concerne Ao, le texte mentionne une prouesse nautique *(dang zhou)* dont le sens exact est discuté. « Bon marin » est une transposition libre.

*Yu et Ji poussèrent la charrue* : figures légendaires du troisième millénaire av. J.-C. Yu (voir VIII.18) sauva la Terre du déluge, et Ji inventa l'agriculture. Les accomplissements de Yu et Ji qui établirent les fondements mêmes de la civilisation, sont opposés ici aux prouesses violentes et purement physiques de Yi et Ao.

XIV.6

*Un gentilhomme...* : une des innovations les plus révolutionnaires de Confucius – on l'a déjà indiqué – fut de substituer à la notion d'une aristocratie sociale celle d'une aristocratie morale  Toutefois, dans quelques passages des *Entretiens,* tel celui-ci par exemple. *junzi* est encore employé dans son acception originelle de « gentilhomme ». Quand *junzi* désigne le nouveau concept spécifiquement confucéen, il est traduit par « honnête homme ».

XIV.8.

*Pi Chen, Shi Shu et Ziyu* : hauts fonctionnaires du pays de Zheng, qui assistaient le Premier ministre Zichan, homme d'État que Confucius admirait.

XIV.9.

*Zichan avait bon cœur* : Confucius apporte un correctif à l'image généralement acceptée, qui faisait de Zichan un homme sévère.

*Zixi* : il y a trois personnages de ce nom ; l'un était un cousin de Zichan, les deux autres étaient des aristocrates du pays de Chu. Il est difficile de déterminer lequel des trois est visé dans ce passage.

*Guan Zhong* : voir III.22.

XIV.11.

*Meng Gongchuo* : grand officier du pays de Lu.

*Grande famille* : littéralement, « Zhao ou Wei ».

*Petit État* : littéralement, « Teng ou Xue ».

XIV.12.

*Zang Wuzhong* : grand officier du pays de Lu, célèbre pour sa sagacité (dont le *Zuo zhuan* rapporte un exemple).

*Zhuangzi* : personnage du pays de Lu, renommé pour sa valeur.

XIV.13.

*Gongshu Wenzi* : grand officier du pays de Wei.

XIV.14.

*Zang Wuzhong occupa Fang...* : cet épisode est rapporté dans le *Zuo zhuan,* 23ᵉ année du duc Xiang.

XIV.16.

*Quand le duc Huan tua le prince Jiu...* : cet épisode est rapporté dans le *Zuo zhuan,* 8ᵉ et 9ᵉ années du duc Zhuang. Shao Hu et Guan Zhong étaient tous deux au service de Jiu. Quand son frère Huan l'assassina pour s'emparer du trône, Shao Hu se suicida par fidélité à Jiu, tandis que Guan Zhong, lui, choisit de se rallier à l'usurpateur.

xiv.18.

*Grâce à son maître* : ces mots ne sont pas dans le texte, mais ils en explicitent le sens.

*Surnom posthume de « Civilisé »* : voir v.15, où sont exposées des raisons qui valurent l'attribution de ce même surnom posthume à un autre personnage.

xiv.19.

*Kong Yu* : voir v.15.

*Tuo* · voir vi.16.

*Wangsun Jia* : voir iii.13.

xiv.21.

*Confucius fit les ablutions rituelles et se présenta à la Cour* : Confucius n'occupait plus de position officielle à l'époque. Cet épisode est rapporté dans le *Zuo zhuan,* 14ᵉ année du duc Ai.

xiv.22.

*Ne lui cachez rien, quitte à le heurter* : autre traduction possible : « Quand vous faites de l'opposition, faites-le de façon loyale. »

xiv.25.

*Qu Boyu* : grand officier du pays de Wei, Confucius séjourna chez lui.

*Quel émissaire* . cette exclamation est-elle admirative ou sarcastique?

xiv.26.

*Ne vous mêlez pas des décisions politiques qui ne sont pas de votre ressort* : ce propos figure plus haut, viii.14, en termes identiques. Comme il se prête à des lectures légèrement différentes, je l'ai rendu la première fois par : « Qui n'occupe pas de position dans le gouvernement n'en discute pas la politique. »

xiv.32.

*Mon vieux, pourquoi cours-tu...* : Weisheng Mu s'exprime avec une grossièreté familière; dans l'original, il apostrophe Confucius en l'appelant par son prénom Qiu, dont l'usage était normalement tabou Weisheng reproche à Confucius son activité inlassable, mais Confucius explique que ses incessants périples résultent du fait qu'il ne parvient pas à trouver un souverain disposé à l'écouter.

xiv.36

*Gongbo Liao* : selon une tradition, aurait été un disciple de Confucius

*Zifu Jingbo* . grand officier du pays de Lu.

154

xiv.37.

*Le sommet de la sagesse...* : ce propos semble traiter des diverses stratégies de repli que le sage doit adopter lorsqu'il est confronté à l'hostilité du souverain : il s'agit de ne pas s'exposer à une condamnation explicite (« éviter certains mots »), laquelle doit pouvoir déjà se pressentir à certains comportements (« éviter certains gestes »).

*Sept hommes l'ont fait* : s'agit-il de sages qui se sont montrés capables de cette intuition défensive? Le propos est interrompu et le rattachement de ce fragment au propos précédent est peut-être arbitraire.

xiv.39.

*Carillon* : plus littéralement, il s'agit d'un lithophone.

*Quand le gué est profond...* : ces deux vers sont tirés du *Canon des poèmes (Bei feng, Pao you ku ye)*. Au lieu de : « passez-le tout habillé », on rencontre également l'interprétation « passez-le de pierre en pierre » – tout dépend du sens que l'on donne au caractère *li* dont l'acception est ici incertaine.

xiv.40.

*Le roi Gaozong* : de la dynastie Shang; aurait régné à la fin du xive – début du xiiie siècle av. J.-C.
Durant la période de deuil, le nouveau souverain s'abstenait de procéder à de nouvelles nominations, et les affaires continuaient à être expédiées par l'ancienne administration du défunt.

xiv.43.

*Yuan Rang* : traditionnellement identifié comme un vieil ami de Confucius. En fait, le contenu de ce propos semble apparenté au suivant, et viserait donc le maintien incorrect d'un jeune homme en présence de ses aînés.

CHAPITRE XV

xv.7.

*Shi Yu* : grand officier du pays de Wei.

xv.11.

*Le calendrier des Xia* : suivant les commentateurs traditionnels, ce calendrier présentait l'avantage d'épouser plus étroitement les saisons; pour cette raison, à la différence des calendriers plus artificiels qui l'avaient remplacé, il aurait pu mieux servir l'intérêt des paysans. *Le char des Yin* était en bois, et Confucius aurait prisé la simplicité austère de ce matériau par opposition aux matières précieuses utilisées dans la suite. *La coiffe des Zhou* était beaucoup plus élaborée que celle des dynasties antérieures; lorsqu'il s'agissait des rites et de la culture, le Sage n'était donc nullement opposé à la splendeur et à la richesse.

*L'Hymne du couronnement de Shun* et *l'Hymne de la conquête de Wu* : voir III.25 et VII.14.

## xv.13.

*Je n ai jamais vu...* : répète IX.18.

## xv.14.

*Zang Sunchen* : voir v.18.

*Liuxia Hui* : personnage vertueux et talentueux du pays de Lu; il s'appelait en fait Zhan Huo, ou Zhan Ji.

## xv.20.

*L'honnête homme enrage de disparaître sans avoir illustré son nom* : ce propos contredit-il xv.19? Pas nécessairement. Selon le redoutable optimisme confucéen, si l'honnête homme est obscur, c'est *parce qu'*il est incompétent; au lieu de se désoler de son obscurité, qu'il s'emploie donc à acquérir des compétences – celles-ci, tôt ou tard, lui vaudront nécessairement d'être reconnu. S'il disparaît sans avoir illustré son nom, cet échec ne peut que sanctionner un manque de qualités.

Durant la plus grande partie de sa carrière, Confucius conserva, en dépit des pires traverses, une foi inébranlable dans le grandiose avenir politique auquel il se sentait promis. Ce n'est que tout à la fin de sa vie, quand il se rendit compte que la chance ne lui serait plus donnée de réaliser sa vocation véritable, qu'il commença à entrevoir le mystère de l'échec et la possibilité d'une absurde défaite de la vertu.

## xv.25.

*Notre peuple d'aujourd'hui...* : cette dernière phrase est interprétée de diverses manières, mais aucune n'est vraiment satisfaisante. *Les Trois dynasties* se réfèrent aux trois premières dynasties – Xia, Shang et Zhou.

## xv.26.

*Les scribes laissaient en blanc les mots douteux* : commentateurs et traducteurs ajoutent généralement *douteux* (qui n'est pas dans le texte) pour expliciter le sens de ce propos. D.C. Lau, suivant une interprétation suggérée par Chow Tse-tsung, propose une lecture complètement différente (mais grammaticalement possible) : « Les scribes manquaient de culture. » La seconde phrase devient alors une illustration de ce manque de raffinement : « Les propriétaires de chevaux permettaient à d'autres de les monter. » Mais on voit mal en quoi le fait de partager l'usage des chevaux avec autrui pourrait représenter un manque de raffinement! De plus, la lecture Lau-Chow impliquerait que

156

les usages *modernes* l'emportent sur les usages *anciens* : pareille conception est sans exemple dans les *Entretiens*.

**xv.33.**

*Il ne suffit pas d'atteindre le pouvoir* : suivant l'exemple d'A. Waley, je supplée le mot *pouvoir* qui n'est pas dans le texte original, mais qui rend le passage plus clair.

**xv.37.**

*Droit* et *rigide* : le sens précis des deux mots *zhen* et *liang* est difficile à déterminer; je me rallie à la solution proposée par Anne Cheng.

**xv.39.**

*Mon enseignement s'adresse à tous, indifféremment* : axiome d'une importance fondamentale, et qui résume une des innovations les plus révolutionnaires du confucianisme. Correcte ou pas, ma traduction de ce propos est conforme à l'interprétation unanime des commentateurs traditionnels. Des traducteurs occidentaux modernes ont cru pouvoir s'en écarter (A. Waley, D. Leslie) et lisent : « Il y a des différences d'éducation, il n'y a pas de différences de nature. » Cette lecture paraît grammaticalement possible, mais elle est *historiquement* dénuée de poids, puisque ce n'est pas dans ce sens-là que le propos en question a été constamment invoqué au cours des âges.

**xv.42.**

*Le musicien Mian* : les maîtres de musique étaient aveugles.

### CHAPITRE XVI

**xvi.1.**

*Les anciens rois érigèrent Zhuanyu en fief autonome* : littéralement, « les anciens rois conférèrent à Zhuanyu la responsabilité (ou le privilège) de faire les sacrifices au mont Dongmeng ».

*Il est voisin du château du seigneur Ji* : littéralement, « il est voisin de Bi » (où se trouvait la place forte du clan Ji).

*... ce n'est pas la pauvreté, mais les inégalités; ce n'est pas le manque de bras, mais le manque d'harmonie* : suivant l'exemple de plusieurs commentateurs et traducteurs, j'ai rétabli ce qui semble être l'ordre normal du passage. On lit sinon : « Ce n'est pas la pauvreté, mais le manque d'harmonie; ce n'est pas le manque de bras, mais les inégalités. »

XVI.3.

*La maison ducale a perdu son autorité* : elle a perdu le *lu,* c'est-à-dire, soit le pouvoir de nommer les officiels, soit celui de percevoir les revenus de l'État. La première interprétation semble la plus plausible.

XVI.11.

*J'ai entendu cette maxime et je l'ai vue pratiquée* : j'ai rétabli l'ordre logique de ces deux propositions qui, dans l'original, semblent avoir été interverties par erreur.

XVI.12.

*N est-ce pas une illustration du propos précédent* : cette interprétation, assez courante et probablement erronée, rattache XVI 12 à XVI.11. En fait le texte de XVI.12 a probablement été mutilé et il n'y a pas moyen d'en combler la lacune.

XVI.13.

*Chen Ziqin* : désigné ici par son prénom, Chen Gang. Voir 1.10.

*Le fils de Confucius* : Kong Li; dans le texte original, Chen Gang l'appelle par son prénom de courtoisie, Boyu.

*Je traversais discrètement la cour* : littéralement, « je traversais la cour en pressant le pas », comme le commandait l'étiquette en présence d'un supérieur.

XVI.14.

*Il y a diverses appellations...* : ce passage, qui devait appartenir à quelque manuel de protocole, semble avoir été accidentellement introduit ici.

CHAPITRE XVII

XVII.1.

*Yang Huo* : intendant du clan Ji. Durant un premier stade, le pouvoir ducal avait été accaparé par les chefs des grands clans, puis il était tombé aux mains des intendants de ces derniers. On a vu plus haut (XVI.2) ce que Confucius pensait de cette inquiétante évolution et on comprend donc pourquoi il n'était nullement désireux de recevoir Yang Huo. Celui-ci veut contraindre Confucius à le rencontrer en lui faisant un présent : tout cadeau obligeait rituellement le bénéficiaire à faire une visite de remerciement.

L'assentiment exprimé finalement par Confucius est ambigu.

xvii.4.

*Wucheng* : bourgade dont Ziyou était préfet.

*Des sons d'instruments à cordes et de chants* : dénotent le déroulement d'une liturgie dont la solennité est disproportionnée par rapport à la modestie de l'endroit.

xvii.5.

*Gongshan Furao* : intendant du clan Ji dont Bi était la place forte. Sa rébellion était dirigée contre le seigneur Ji, et Confucius pouvait donc croire qu'elle permettrait peut-être de restaurer l'autorité du duc de Lu.

*En Orient* : la dynastie Zhou était originaire de l'ouest de la Chine; le pays de Lu où vivait Confucius est situé à l'est.

xvii.7.

*Bi Xi* : préfet de Zhongmou et intendant d'un clan du pays de Jin.

xvii.17.

*Discours habiles...* : répète i.3.

xvii.18.

*La pourpre* est une couleur intermédiaire, tandis que le rouge est une couleur fondamentale.

*La musique populaire* : littéralement, « la musique de Zheng » que l'on trouve déjà condamnée plus haut, xv.11.

xvii.20.

*Ru Bei* : personnage du pays de Lu. On ne sait presque rien à son sujet. Selon le *Livre des rites*, le duc Ai de Lu l'aurait une fois envoyé auprès de Confucius pour y apprendre la liturgie funéraire.

xvii.21.

*Zai Yu demanda : « Trois années de deuil pour ses père et mère, c'est bien long »* : il serait également possible de lire : « Zai Yu demanda au sujet des trois années de deuil : " Une année c'est déjà bien long. " » Quant à Zai Yu, on l'a déjà rencontré plus haut, v.10. Normalement une personne en deuil devait suspendre toutes ses activités, et même abandonner sa résidence pour aller habiter une hutte improvisée à cette occasion. La coutume qui obligeait d'observer une longue retraite à la mort de ses parents demeura en vigueur dans la classe lettrée tout au long de l'histoire de Chine, et – soit dit en passant – les lettres et les arts ont considérablement bénéficié de ces longs « congés sabbatiques » que les membres de l'élite intellectuelle se voyaient ainsi forcés de prendre au beau milieu de leur carrière.

*On change de ligot* : le feu nouveau était rituellement obtenu au moyen d'un bois différent pour chaque saison.

XVII.22.

*Jouer aux échecs* : *bo yi* signifie soit « jouer aux échecs », soit désigne deux jeux différents, *bo* et *yi* – le premier étant alors une sorte de jeu de dés dont les règles se sont perdues. Les échecs dont il est question ici *(yi)* sont une variante antique du jeu mieux connu en Occident sous sa prononciation japonaise de *go* (chinois moderne : *weiqi*).

XVII.25.

*Employer des filles et des gens de peu* : ce propos est interprété le plus souvent comme une considération sur la difficulté qu'il y aurait à traiter avec « les femmes et les gens vulgaires » *en général*. Mais en fait, l'usage qui est fait ici du verbe *yang* (que je traduis par « employer », mais qui signifie plus littéralement « nourrir », « entretenir », « éduquer ») donne à penser que l'observation de Confucius vise seulement le problème particulier que posent à un chef de famille les rapports avec le personnel féminin et subalterne de la maisonnée.

CHAPITRE XVIII

XVIII.1.

*Le tyran* : ce mot n'est pas dans le texte (qui n'use que d'un pronom); il s'agit de Zhouxin, dernier roi de la dynastie Shang, et personnage dont les vices et la férocité étaient notoires. Le seigneur de Wei était son demi-frère; le seigneur de Ji et Bi Gan étaient ses oncles.

XVIII.2.

*Liuxia Hui* : voir xv.14.

XVIII.4.

*Le seigneur Ji* : Ji Huan, père de Ji Kang.

XVIII.5.

*Jieyu* : le fou du pays de Chu ainsi que les divers ermites que l'on rencontre plus loin (xviii.6 et 7) sont des produits passablement subversifs de l'imagination taoïste, et semblent jouer dans les *Entretiens* le rôle d'une sorte de « cinquième colonne » anticonfucéenne.

160

xviii.8.

*Boyi et Shuqi* : voir v.23, vii.15 et xvi.12.

*Yuzhong, Yiyi, Zhuzhang et Shaolian* : l'identification de ces divers personnages est incertaine.

*Yuzhong et Yiyi renoncèrent à s'exprimer* : une autre interprétation est possible, signifiant exactement le contraire : « Ils dirent librement tout ce qui leur passait par la tête. »

xviii.9.

L'identification de ces musiciens de Cour est incertaine, de même que la catastrophe politique qui provoqua leur émigration. Dans son laconisme énigmatique, ce passage suggère la désolation qui accompagne la chute d'une dynastie.

xviii.11.

Ce passage, probablement étranger aux *Entretiens,* semble avoir été arbitrairement accroché ici, en queue de chapitre. On a rencontré plus haut (xvi.14) un autre exemple de ces insertions accidentelles de fragments hétérogènes.

CHAPITRE XIX

xix.2.

*Dirons-nous qu'il possède…* : autre interprétation : « Considérerons-nous qu'il existe, ou considérerons-nous qu'il n'existe pas? »

xix.4.

*Les petits métiers* : littéralement, « les petites Voies », c'est-à-dire les disciplines spécialisées qui, pour l'humanisme confucéen, représentent autant de chemins de traverse, détournant de la Voie universelle. À ce sujet voir ii.12.

xix.8.

*Quand un homme vulgaire faute, il cherche toujours à sauver les apparences* : cette traduction est conforme à la majorité des commentaires, mais il y a une autre interprétation, probablement plus conforme à la syntaxe : « Quand un homme vulgaire faute, c'est toujours *parce qu'*il a surtout souci des apparences. » (Comparez par exemple D.C. Lau : « Quand l'homme médiocre fait une faute, il éprouve toujours le besoin de fournir des explications spécieuses », et A. Waley : « Quand l'homme médiocre faute, c'est toujours par un goût excessif de l'ornement. »)

161

xix.10.

*Il peut critiquer son souverain* : les deux derniers mots ne sont pas dans l'original.

xix.18.

*Le seigneur Meng Zhuang* : fils du seigneur Meng Xian, grand officier du pays de Lu.

xix.20.

*Zhouxin* : voir xviii.1.

*En aval du fleuve de l'opinion publique* : les six derniers mots ne sont pas dans l'original.

xix.23.

*Shusun Wushu* : grand officier du pays de Lu.

*innombrables appartements* : on peut également traduire : « Les innombrables personnages officiels qui y déambulent. » *Guan* avant de signifier « fonctionnaire », « personnage officiel » a d'abord désigné les bâtiments officiels où les fonctionnaires travaillaient. On rencontre l'une et l'autre acception dans les *Entretiens*.

xix.25.

*Chen Ziqin* : voir i.10 et xvi.13.


CHAPITRE XX


xx.1.

La majeure part de cette section est faite de fragments archaïques mal raccordés les uns aux autres, et apparentés par le contenu et par la langue au *Canon des documents* (compilation d'édits des premiers souverains et des conseils que leur adressèrent leurs sages ministres). Ces textes étaient utilisés comme matériaux d'étude et d'enseignement dans l'école confucéenne, et c'est peut-être pour cette raison qu'un de ces morceaux a été recueilli ici (hypothèse avancée par D.C. Lau).

À partir de : *Réglez soigneusement les poids et les mesures...*, on retrouve le ton habituel des *Entretiens*.

INDEX

Ai (duc) 18, 23, 34, 67, 80, 121,
    126, 159.
Ao 77, 152.

Bi 35, 63, 95, 157, 159.
Bi Gan 100, 160.
Bi Xi 95, 159.
Bo (clan) 78.
Bodde (D.) 142.
Boniu 35, 59, 135, 149.
Bougainville 131.
Boyi 32, 41, 93, 102, 134, 138,
    161.

Cai (pays de) 59, 102, 147.
*Canon des documents* 19, 41, 83,
    121, 162.
*Canon des mutations* 41, 75, 138,
    152.
*Canon des poèmes* 15, 16, 21, 41,
    45, 46, 72, 93, 96, 118, 123,
    124, 126, 128, 141, 143, 147,
    150, 151, 155.
Chan (« Zen ») 148.
Changju 101.
Chavannes 139.
Chen (pays de) 32, 59, 84, 134,
    146.
Chen Gang, *voir* Ziqin.
Chen Heng 80.

Chen Sibai 43, 140.
Chen Xuwu 32, 134
Chen Ziqin, *voir* Ziqin.
Cheng (roi) 137.
Cheng (A.) 7, 127, 130, 140, 157
Chesterton (G.-K.) 150.
Chow Tse-tsung 156
Chu (duc), *voir* duc de Weı
Chu (pays de) 31, 100, 102, 138
    152, 160.
Colomb 131.
Cook 131.
Couvreur (S.) 7, 123.
Cui Zhu 32, 134.

Da 103.
Dantai Mieming 36.
Daxiang 49.
Ding (duc) 22, 73, 126.
*Documents,* voir *Canon des documents.*
Dongmeng (mont) 157.
Dougou Wutu, *voir* Ziwen.
Duanmu Si, *voir* Zigong.
Durrant (S.W.) 8, 120.
Drake 131.

Erikson 132.
Etiemble 10.

Fan Chi 16, 17, 37, 69, 72, 74, 119.
Fang 79, 153.
Fangshu 102.
François d'Assise (saint) 145.
Fu Buqi, *voir* Zijian.

Gan 102.
Gao Chai, *voir* Zigao.
Gao Yao 69.
Gaozong (roi) 83, 155.
Gongbo Liao 82, 154.
Gongming Jia 79.
Gongshan Furao 95, 159.
Gongshu Wenzi 79, 80, 153.
Gongsun Chao 107.
Gongsun Qiao, *voir* Zichan.
Gongxi Chi 30, 34, 43, 62, 63, 64, 132.
*Gongyang zhuan* 132.
Gongye Chang 29, 130.
Gua 103.
Guan Zhong 23, 78, 79, 127, 153.
Guo Moruo 139.
Guo Songtao 127.

Herrigel 126.
Hu 103.
*Huainan zi* 135.
Huan (duc) 79, 153.
Huan Tui 42, 139, 149.
Huxiang 42, 139.
Huxley (A.) 118, 151.

Ji 77, 152.
Ji (cheval) 82.
Ji (clan) 20, 21, 35, 61, 70, 100, 122, 124, 140, 147, 148, 151, 157, 158, 159.
Ji (seigneur) 90, 91, 157, 159, 160.
Ji (seigneur de) 100, 160.
Ji Huan 160.
Ji Kang 18, 35, 57, 60, 68, 121, 160.

Ji Sun 82.
Ji Wen 32, 134.
Ji Zicheng 66, 149.
Ji Ziran 62, 148.
Jian (duc) 80.
Jieni 101.
Jieyu 100, 160.
Jin (pays de) 79, 116, 159.
Jing (duc) 67, 93, 100.
Jiu (prince) 79, 153.
Jufu 74, 151.

Kang (seigneur) 80.
Koestler (A.) 126.
Kong Decheng 122.
Kong « le Civilisé » 31, 133.
Kong Li (fils de Confucius) 60, 93, 158.
Kong Yu 80, 154.
Kuang 49, 62, 148.

Lacan 126.
Laeisz 132.
Lao 50.
Lao Zi 7.
Lau (D.C.) 7, 8, 142, 156, 161, 162.
Lee (L.) (Lee Ou-fan) 139.
Legge (J.) 7, 129, 132.
Leslie (D.) 7, 10, 135, 149, 157.
*Li Ji* 118, 137, 159.
Liao 102.
Lin Fang 20, 21, 123, 124.
Lin Yü-sheng 128.
Lin Yutang 139.
Ling (duc) 38, 80, 84, 125, 136, 138.
Liuxia Hui 86, 100, 102, 156, 160.
Lu (duc de) 79, 102, 124, 126, 159.
Lu (pays de) 20, 23, 29, 37, 51, 61, 72, 80, 121, 123, 133, 134,

135, 137, 147, 151, 153, 154, 159, 162.
Lu Xun 139.

Magellan 131.
Malmqvist (G.) 132, 142.
Mao Zedong 140.
Mao Zishui 136.
*Mémoires historiques* 133, 134, 139, 149.
Mencius 115, 116, 128, 146.
Meng (clan) 106.
Meng Gongchuo 78, 153.
Meng Wu 17, 30, 119.
Meng Xian 162.
Meng Yi 16, 119.
Meng Zhice 136.
Meng Zhifan 36, 136.
Meng Zhuang 106, 162.
Mengjing 45.
Mian 89.
Michaux (H.) 8.
Min Ziqian 35, 59, 61, 135, 147.
Mu (duc) 133.
*Mutations,* voir *Canon des mutations.*

Nan Rong, *voir* Nangong Kuo.
Nangong Kuo 29, 59, 77, 130, 147.
Nanzi 38, 136.
Needham (J.) 132.
Ning Wu 32, 134.

Orwell (G.) 150.

Peng 39, 137.
Pi Chen 78, 153.
Pian 78.
*Poèmes,* voir *Canon des poèmes.*
Pound (E.) 8.

Qi (pays de) 21, 32, 34, 37, 40, 67, 79, 80, 93, 100, 102, 127, 133, 135.

Qian Mu 7, 120, 122, 135, 142, 144, 145.
Qidiao Kai 29, 130.
Qin (pays de) 102.
Qu Boyu 81, 85, 154.
Que (village) 83.
Que (musicien) 102.

Ran Boniu, *voir* Boniu.
Ran Geng, *voir* Boniu.
Ran Qiu 21, 30, 34, 35, 36, 40-41, 59, 61, 62, 63, 64, 72, 73, 78, 90, 123, 148, 151.
Ran Yong 29, 34, 35, 59, 65, 70, 130, 135.
Ru Bei 97, 159.

Shakespeare 118, 151.
Shang (dynastie), *voir* Yin.
Shao Hu 79, 153.
Shaolian 102, 161.
She 41, 74, 138.
Shen Cheng 30, 133
Shen Dang 132.
Shen Zhuliang 138.
Shi Shu 78, 153.
Shi Yu 85, 155.
Shouyang (mont) 93
Shun 24, 38, 40, 47, 48, 69, 83, 84, 85, 109, 127, 128, 137, 141, 156.
*Shuo wen* 132.
Shuqi 32, 41, 93, 102, 134, 138, 161.
Shusun Wushu 107, 162.
Sima Niu 65, 66, 149.
Sima Qian 127, 134, 139.
Song (pays de) 21, 36.
Sui 103.

Tai (mont) 21, 123.
Taibo 45, 141.
Tang 69, 109.

Tu 103.
Tuo 36, 80, 154.

Vandermeersch (L.) 130.

Waley (A.) 7, 123, 125, 128, 130, 136, 140, 147, 157, 161.
Wangsun Jia 22, 80, 125, 154.
Wei (duc de) 40, 138.
Wei (pays de) 51, 71, 72, 80, 82, 84, 125, 134, 147, 149, 151, 154, 155.
Wei (seigneur de) 100, 160.
Weisheng Gao 32, 134.
Weisheng Mu 81, 154.
Wen (duc) 79.
Wen (roi) 49, 107, 137, 141.
Wittgenstein (L.) 133.
Wu (musicien) 102.
Wu (roi) 24, 47, 48, 86, 107, 127, 128, 137, 156.
Wucheng 36, 94, 159.
Wuma Shi 43, 140.

Xi, voir Zeng Dian.
Xia (chevalier) 103.
Xia (dynastie) 19, 21, 23, 85, 141, 155, 156.
Xiang 102.

Yan Hui 17, 30, 33, 34, 35, 36, 40, 50, 52, 59, 60, 61, 62, 65, 85, 119, 141, 143, 144.
Yan Lu 60.
Yan Yan, voir Ziyou.
Yan Ying 31, 133.
Yang 102.
Yang Bojun 7, 117, 120, 122, 149.
Yang Fu 106.
Yang Huo 94, 142, 158.
Yao 38, 47, 48, 83, 109, 128.
Ye 103.
Yi (archer) 77, 152.

Yi (localité) 23.
Yi Yin 69.
Yin 19, 21, 23, 48, 85, 100, 128, 155, 156, 160.
Yiyi 102, 161.
Yong 20, 123.
Yoshikawa Kojiro 7.
You Ruo (maître You) 13, 15, 67, 116.
Yu 47, 48, 77, 109, 141, 152.
Yuan Rang 83, 155.
Yuan Xian 35, 77, 135.
Yuzhong 102, 161.

Zai Yu 23, 30, 38, 59, 97, 98, 126, 127, 136, 159.
Zang Sunchen 31, 86, 133, 156.
Zang Wuzhong 78, 79, 153.
Zeng Dian 63, 64, 148.
Zeng Shen (maître Zeng) 13, 14, 27, 45, 46, 61, 70, 81, 106, 116, 129, 148.
Zhan guo ce 134.
Zhan Huo, voir Liuxia Hui.
Zhan Ji, voir Liuxia Hui.
Zhao 36.
Zhao (duc) 43, 140.
Zheng (pays de) 86, 133, 153, 159.
Zhi (maître de musique) 47, 102, 141.
Zhong You, voir Zilu.
Zhonggong, voir Ran Yong.
Zhongmou 95, 159.
Zhou 19, 22, 23, 48, 85, 95, 103, 109, 123, 124, 126, 128, 137, 141, 155, 156, 159.
Zhou (duc de) 39, 46, 102, 137.
Zhou Ren 90.
Zhouxin 106, 128, 160, 162.
Zhu Xi 115, 149.
Zhuan 80.
Zhuang Zi 134.

Zhuangzi 78, 153.
Zhuansun Shi, *voir* Zizhang.
Zhuanyu 90, 91, 157.
Zhuzhang 102, 161.
Zichan 31, 78, 133, 153.
Zifu Jingbo 82, 107, 154.
Zigao 61, 63, 147, 148.
Zigong 14, 15, 18, 22, 29, 30, 31, 35, 38, 40, 41, 50, 51, 52, 53, 59, 61, 66, 69, 74, 75, 79, 81, 82, 84, 85, 87, 97, 98, 106, 107, 108, 117, 126, 133, 138.
Zihua, *voir* Gongxi Chi.
Zijian 29, 130.
Zikai, *voir* Qidiao Kai.
Zilu 18, 30, 31, 33, 35, 38, 40, 41, 43, 51, 52, 58, 59, 60, 61, 62, 63, 64, 67, 70, 76, 78, 79, 80, 82, 83, 84, 90, 95, 98, 101, 102, 116, 121, 131, 137, 147, 148, 150.

Ziqi, *voir* Wuma Shi.
Ziqin 14, 93, 108, 117, 158, 162.
Zirong, *voir* Nangong Kuo.
Zisang Bozi 34.
Zisi, *voir* Yuan Xian.
Ziwen 31, 134.
Ziwo, *voir* Zai Yu.
Zixi 78, 153.
Zixia 14, 17, 21, 36, 59, 61, 66, 69, 74, 104, 105, 106, 117.
Ziyou 17, 28, 36, 59, 94, 95, 105, 106, 119, 159.
Ziyu 78, 153.
Ziyuan, *voir* Yan Hui.
Zizhang 18, 19, 31, 61, 62, 66, 67, 68, 83, 84, 89, 95, 104, 106, 110, 121, 150.
Zou 125.
*Zuo zhuan* 116, 133, 134, 136, 139, 149, 153, 154.
Zuoqiu Ming 32, 33, 134.

Préface d'Etiemble                    I
Introduction du traducteur            7
Remerciements                        10
*Entretiens de Confucius*            11
Notes                               113
Index                               163

Couverture : *Portrait imaginaire de Confucius*
par Ma Yuan (Song du Sud, début du XIIIᵉ siècle).

*Ouvrage reproduit*
*par procédé photomécanique.*
*Impression Bussière Camedan Imprimeries*
*à Saint-Amand (Cher), le 5 décembre 1995.*
*Dépôt légal : décembre 1995.*
*1ᵉʳ dépôt légal : octobre 1990.*
*Numéro d'imprimeur : 1/2819.*
ISBN 2-07-071790-9. / Imprimé en France.

75655